頭《あたま》？　心臓《しんぞう》？　「心《こころ》」はどこにある？

心《こころ》がどこにあるのかには、今《いま》でもいろいろな考《かんが》え方《かた》がある。昔《むかし》の人《ひと》も同《おな》じように、さまざまな説《せつ》を唱《とな》えていたよ。

古代《こだい》エジプト人《じん》

©KAKU SUZUKI/SEBUN PHOTO/amanaimages

アリストテレス

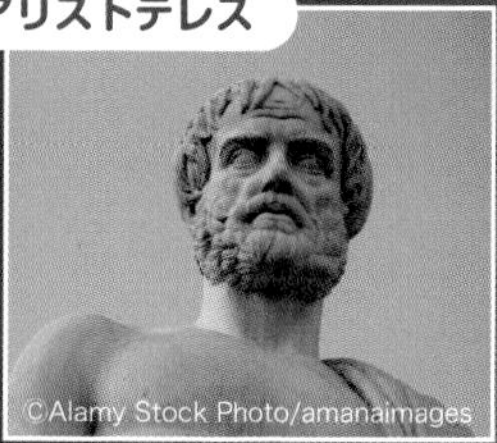
©Alamy Stock Photo/amanaimages

古代《こだい》エジプトでは、心《こころ》は、心臓《しんぞう》や子宮《しきゅう》にあると考《かんが》えられていた。古代《こだい》ギリシャの哲学者《てつがくしゃ》アリストテレスも、思考《しこう》と感情《かんじょう》をコントロールしているのは、心臓《しんぞう》であると考《かんが》えていたんだ。

プラトン

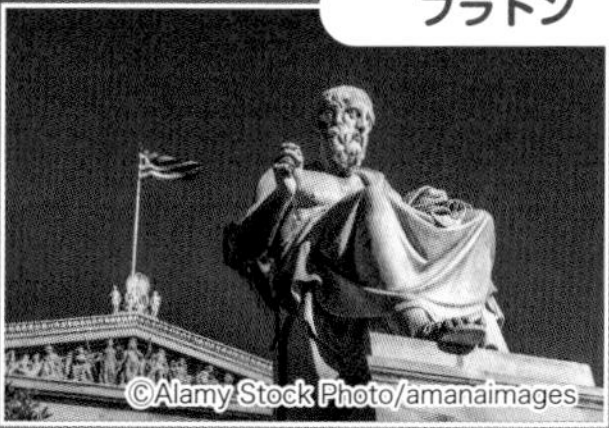
©Alamy Stock Photo/amanaimages

古代《こだい》ギリシャの医師《いし》ヒポクラテスは、著書《ちょしょ》の『神聖病論《しんせいびょうろん》』のなかで、心《こころ》は脳《のう》にあるという説《せつ》を唱《とな》えた。古代《こだい》ギリシャの哲学者《てつがくしゃ》プラトンも、心《こころ》は頭《あたま》のなかにあると考《かんが》えていたよ。

のぞいてみよう！　脳《のう》のなかはどうなっているの？

科学技術《かがくぎじゅつ》の発展《はってん》により、いろ……中身《なかみ》を観察《かんさつ》……ている。ち……てみよう。

PET《ペット》（陽電子放射断層《ようでんしほうしゃだんそう》撮影法《さつえいほう》）で撮影《さつえい》した脳《のう》

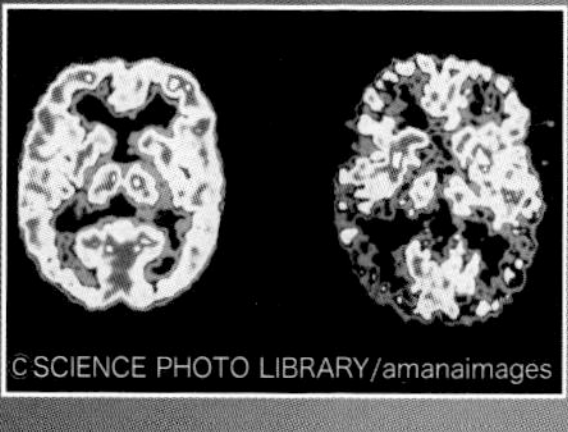
©SCIENCE PHOTO LIBRARY/amanaimages

PET《ペット》は、放射線《ほうしゃせん》を出《だ》す……体……す……さ……定……ア……どの早期発見《そうきはっけん》に役立《やくだ》つよ。

……た神経細胞《しんけいさいぼう》

蛍光顕微鏡とは、光学顕微鏡《こうがくけんびきょう》の一種《いっしゅ》で、観察《かんさつ》する対象《たいしょう》に紫外線《しがいせん》などを当《あ》て、対象《たいしょう》が発《はっ》する蛍光《けいこう》を観察《かんさつ》するものだよ。

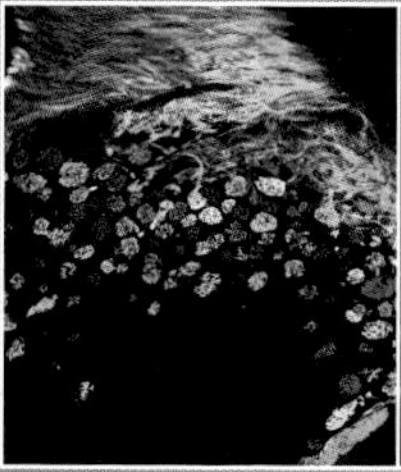
写真提供／池谷裕二

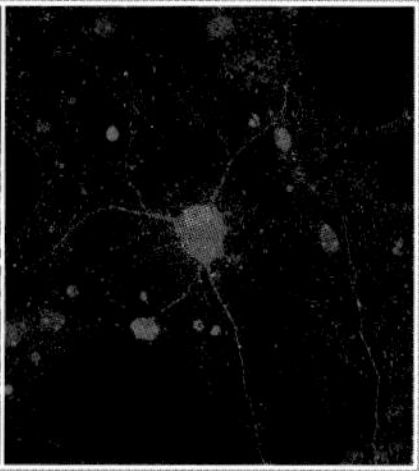
写真提供／池谷裕二

◀左《ひだり》から、においの情報《じょうほう》を処理《しょり》する嗅球《きゅうきゅう》の細胞《さいぼう》と海馬《かいば》の細胞《さいぼう》の一部《いちぶ》。

海馬《かいば》にある歯状《しじょう》回《かい》。▶

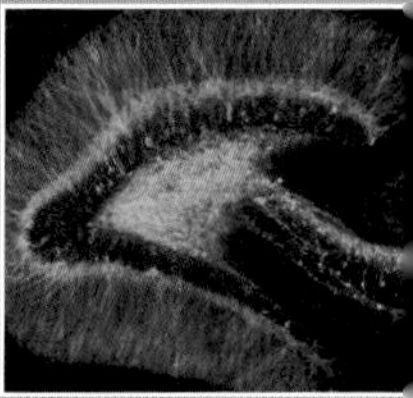
写真提供／池谷裕二

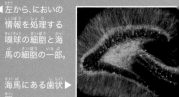

未来《みらい》の可能性《かのうせい》が広《ひろ》がる　脳研究《のうけんきゅう》とロボット

近年《きんねん》は、脳研究《のうけんきゅう》をロボットに応用《おうよう》する研究《けんきゅう》も進《すす》められている。ここでは、そんなロボットたちを紹介《しょうかい》するよ。

ネズミ型《がた》ロボット「サイバーローデント」

写真提供／ OIST（沖縄科学技術大学院大学）

このネズミ型《がた》ロボットには、自分《じぶん》が行《おこな》った行動《こうどう》に与《あた》えられる「報酬《ほうしゅう》」と「罰《ばつ》」によって、正《ただ》しい行動《こうどう》を判断《はんだん》し、自《みずか》ら学習《がくしゅう》する「強化学習《きょうかがくしゅう》」のプログラムが組《く》み込《こ》まれている。さまざまな行動《こうどう》を試《ため》しながら、進化《しんか》していくんだ。

ブレイン・マシン・インターフェイス（BMI《ビーエムアイ》）

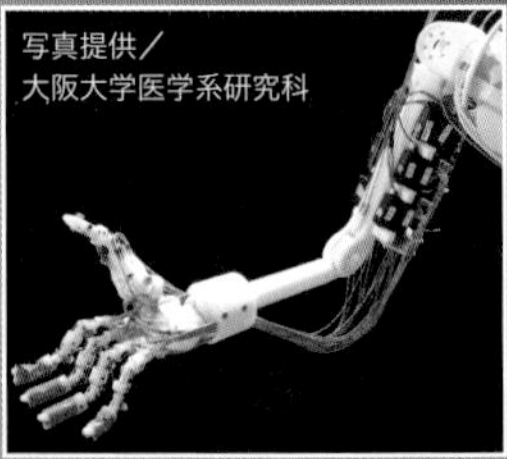

写真提供／
大阪大学医学系研究科

シート状《じょう》の電極《でんきょく》で脳波《のうは》を測定《そくてい》・解読《かいどく》し、念《ねん》じるだけで動《うご》かすことができる「ロボットアーム」。これが実用化《じつようか》されれば、けがや病気《びょうき》によって、手《て》を自由《じゆう》に動《うご》かせない人《ひと》の助《たす》けにもなるね。

AI《エーアイ》が自身《じしん》の試行錯誤《しこうさくご》の経験《けいけん》からよりよく行動《こうどう》することを学習《がくしゅう》する方法《ほうほう》を、「強化学習《きょうかがくしゅう》」と呼《よ》ぶ。近年《きんねん》では、囲碁《いご》の世界《せかい》チャンピオンに勝《か》ったAI《エーアイ》に使《つか》われたアルゴリズムとしても有名《ゆうめい》だよ。

この「ヒューマノイドロボットCBi《シービーアイ》」は、強化学習《きょうかがくしゅう》により、ロボット自身《じしん》がバスケットボールのシュート動作《どうさ》を学習《がくしゅう》したんだって。

写真提供／
国際電気通信基礎技術研究所

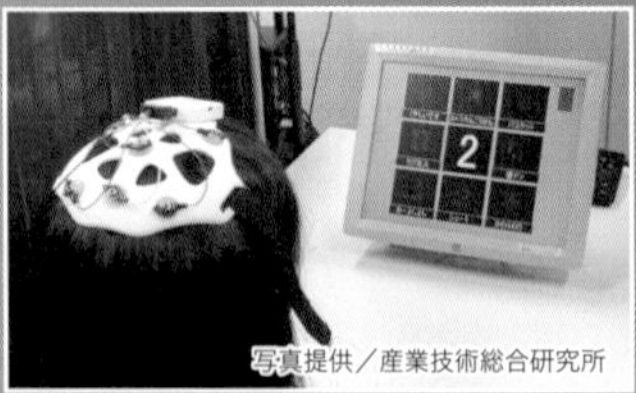

写真提供／産業技術総合研究所

脳波《のうは》でロボットに選択肢《せんたくし》を伝《つた》える「ニューロコミュニケーター®」（写真上《しゃしんうえ》）。画面《がめん》に表示《ひょうじ》された選択肢《せんたくし》から「これだ」と頭《あたま》のなかで念《ねん》じると、ロボットがその通《とお》りに動《うご》いてくれるんだって（写真右《しゃしんみぎ》）。このページで紹介《しょうかい》したロボットのほかに、頭《あたま》で念《ねん》じたことを文章《ぶんしょう》にしてくれるAI《エーアイ》などの研究《けんきゅう》も進《すす》められているよ。

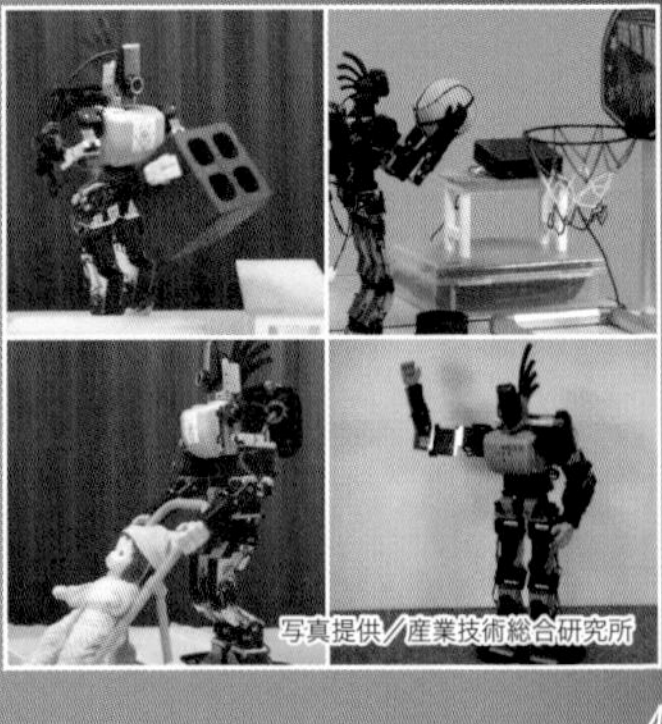

写真提供／産業技術総合研究所

脳《のう》の不思議《ふしぎ》なしくみ　錯視《さくし》を体験《たいけん》してみよう

脳《のう》や目《め》が「うっかり」することで起《お》こる錯視《さくし》（目《め》の錯覚《さっかく》）。119ページでも紹介《しょうかい》するけれど、ここではまず錯視《さくし》を体験《たいけん》してみよう。

※錯視《さくし》は、見《み》え方《かた》に個人差《こじんさ》があるよ。書《か》いてある通《とお》りに見《み》えなくても、心配《しんぱい》しないでね。

うずまきは何色《なにいろ》からできている？

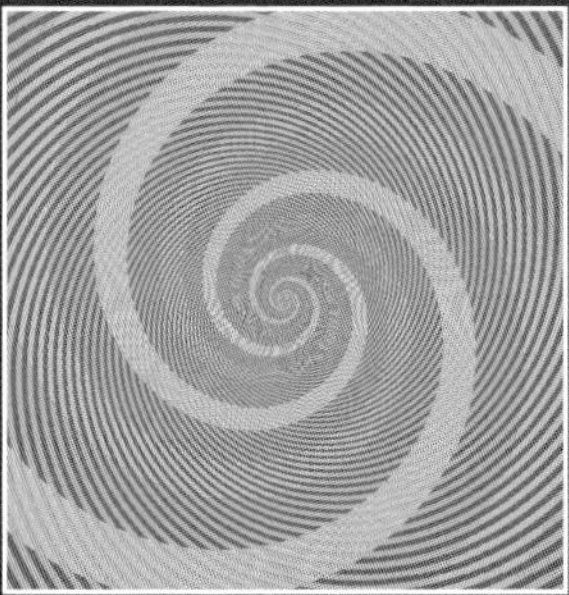

「黄緑《きみどり》のうずまき（黄緑《きみどり》＋オレンジ）」「青《あお》っぽいうずまき（水色《みずいろ》＋赤《あか》）」が見《み》えるよね。2つのうずまきを構成《こうせい》する「黄緑《きみどり》」と「水色《みずいろ》」は、実《じつ》は同色《どうしょく》。となり合《あ》う色《いろ》により、錯視《さくし》するんだね。

©Akiyoshi Kitaoka 2003　©KANZEN

小《ちい》さな四角《しかく》のなかのしまの色《いろ》は？

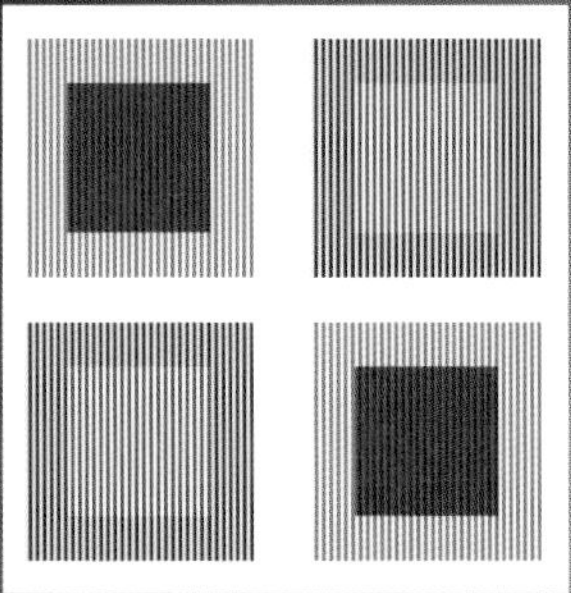

四角《しかく》のなかにある四角《しかく》のしまの色《いろ》は、何色《なにいろ》に見《み》える？
実《じつ》は、しましまの赤《あか》い線《せん》は、まったく同《おな》じ色《いろ》なんだ。

©Akiyoshi Kitaoka 2005　©KANZEN

不思議《ふしぎ》なでっぱり？

中央《ちゅうおう》の部分《ぶぶん》がふくらんで見《み》えない？　この図《ず》はすべて垂直《すいちょく》・水平成《すいへいせい》分《ぶん》でできているんだけれど、中央《ちゅうおう》の部分《ぶぶん》がでっぱって見《み》えるよ。

©Akiyoshi Kitaoka 2016　©KANZEN

イチゴの色《いろ》は何色《なにいろ》？

みんなには、イチゴが何色《なにいろ》に見《み》えるかな？　この画像《がぞう》は、すべてシアン（青《あお》）色《いろ》でつくられている。赤《あか》はひとつも使《つか》われていないのに、なぜかイチゴが赤《あか》く見《み》える人《ひと》がいるよ。

©Akiyoshi Kitaoka 2017　©KANZEN

ぐるぐる動《うご》くヘビ

実際《じっさい》には動《うご》いていないのに、ヘビのうずまきが、ぐるぐると動《うご》いて見《み》える。なんだか吸《す》い込《こ》まれそうだね。

©Akiyoshi Kitaoka 2003　©KANZEN

心《こころ》の通《かよ》わせ方《かた》はいろいろ

生《い》き物《もの》のコミュニケーション

人間《にんげん》以外《いがい》の生《い》き物《もの》にも、心《こころ》ってあるのかな？　生《い》き物《もの》たちがお互《たが》いにどうやってコミュニケーションしているのかを見《み》ていこう。

タンチョウ

©goto masami/nature pro./amanaimages

タンチョウのオスとメスは、繁殖期《はんしょくき》になると「求愛《きゅうあい》ダンス」をおどる。このダンスによって、ペアになる相手《あいて》を見《み》つけるといわれているんだ。

イルカ

©Yusuke Okada/a.collectionRF/amanaimages

イルカは、とても高《たか》い知能《ちのう》をもった生《い》き物《もの》だ。数《すう》十種類《じっしゅるい》の音声《おんせい》を使《つか》い分《わ》けながら仲間《なかま》とコミュニケーションをとることが確認《かくにん》されているよ。

ミツバチ

©Ken Ken/a.collectionRF/amanaimages

ミツバチも、「ダンス」で仲間《なかま》とコミュニケーションをとる。8の字《じ》を描《えが》くダンスが有名《ゆうめい》で、エサがある方向《ほうこう》や距離《きょり》を、ダンスによって伝《つた》えているよ。

サイ

©Robertharding/Masterfile/amanaimages

サイは、うんちで情報交換《じょうほうこうかん》をしているって知《し》っている？　視力《しりょく》が悪《わる》いサイは、共同《きょうどう》トイレにある仲間《なかま》のふんのにおいをかぐことで、発情状態《はつじょうじょうたい》や、赤《あか》ちゃんが生《う》まれたこと、新《あたら》しいオスがやってきたことなどを知《し》るんだ。

チンパンジー

写真：Minden Pictures/アフロ

頭《あたま》がいい動物《どうぶつ》として知《し》られているチンパンジーは、表《ひょう》情《じょう》や鳴《な》き声《こえ》、身《み》振《ぶ》りなどで仲間《なかま》に状況《じょうきょう》を伝《つた》えることができる。訓練《くんれん》をすれば、100種類ほどの人間《にんげん》の言葉《ことば》を理解《りかい》することもできるんだって。

DORAEMON

ドラえもん 探《たん》究《きゅう》ワールド

TANKYU WORLD

心《こころ》の不《ふ》思《し》議《ぎ》

ドラえもん探究《たんきゅう》ワールド

―心《こころ》の不《ふ》思《し》議《ぎ》―

もくじ

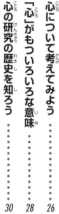

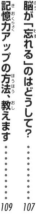

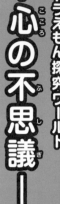

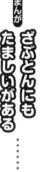

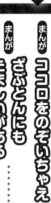

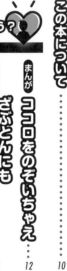

この本《ほん》について

この本《ほん》は、ドラえもんのまんがを楽《たの》しみながら、「心《こころ》」について学《まな》べる、おもしろくてためになる本《ほん》です。

みなさんは、「心《こころ》」について深《ふか》く考《かんが》えたことはありますか？　心《こころ》は、みんながもっているけれど、目《め》に見《み》えるわけではありません。なんともとらえどころがなく、よくわからないもの。そんなイメージをもっている人《ひと》も多《おお》いかもしれません。

人間《にんげん》が人間《にんげん》らしくいるために、心《こころ》は重要《じゅうよう》な役目《やくめ》をはたしています。心《こころ》がなければ、楽《たの》しいと感《かん》じたり、感動《かんどう》したり、泣《な》いたり、笑《わら》ったり、怒《おこ》ったりすることもありません。新《あたら》しい知識《ちしき》や勉強《べんきょう》したことを記憶《きおく》するのも、心《こころ》に関係《かんけい》しています。そして心《こころ》も、体《からだ》と同《おな》じように、ときには調子《ちょうし》が悪《わる》くなることもあるのです。この本《ほん》では、そんな心《こころ》の役割《やくわり》や脳《のう》との関係《かんけい》、感情《かんじょう》、心理学《しんりがく》、動物《どうぶつ》の心《こころ》、心《こころ》の不調《ふちょう》などについて、わかりやすく解説《かいせつ》していきます。

書《か》いてあることが難《むずか》しく感《かん》じたときは、自分《じぶん》がもっている「心《こころ》」に置《お》き換《か》えて考《かんが》えてみてください。内容《ないよう》がさらに身近《みぢか》に感《かん》じられて、きっと理解《りかい》も深《ふか》まるはずです。

この本《ほん》が、みなさんのもつ「心《こころ》」について、考《かんが》えてみるきっかけにつながればと思《おも》います。

※特《とく》に記述《きじゅつ》のないデータは、2021年《ねん》8月《がつ》現在《げんざい》のものです。

これをのぞくと、相手《あいて》の気分《きぶん》が晴《は》れとかくもりとか雨《あめ》とか、空《そら》もようになって見《み》える。

人間《にんげん》はね、感情《かんじょう》の動物《どうぶつ》といわれてるんだ。
うれしいときはとびあがってよろこび、悲《かな》しければワアワア泣《な》く。
もっと気《き》もちをいきいきとあらわせよ。
そういわれてもな……、つまんなそうな顔《かお》は生《う》まれつきだもんな。

ココロをのぞいちゃえ
ただいま。
おかえり。
さっ
なにかかくしたな。
な、なんにも。
ほんとかうそか、
これで見《み》ればわかる。

見《み》えた。
ケーキを出《だ》しなさい。
どうしてわかったかな。
思《おも》ってることが、形《かたち》になって見《み》えるんだよ。
ほんと、ちょっと貸《か》して。
おかいものに行《い》ってきます。
ママ、待《ま》って。
カレーライスつくるんでしょ。

いたずらして、かあちゃんにしかられた。
むしゃくしゃする、あばれてやろう。
来《こ》い来《こ》い。
なんかあるの。
逃《に》げたほうがいい、なぐられるよ。
ちきしょう、どうしてわかった。
このイヌは、なにを考《かん》えてるか。
あれっ。

心《こころ》の不《ふ》思《し》議《ぎ》Q&A《キューアンドエー》

Q 「親《おや》の●、子《こ》知《し》らず」。●に入《はい》る漢字《かんじ》はどれ？

①顔《かお》　②心《こころ》　③話《はなし》

A ②心《こころ》　親《おや》が子《こ》どもを思《おも》う気持《きも》ちなど子《こ》どもは知《し》らずに、勝手気《かってき》ままにふるまうものだという意味《いみ》。「親心《おやごころ》」という言葉《ことば》もあるよ。

ざぶとんにも たましいがある

また街灯《がいとう》が割《わ》られてる。
よっぱらいのいたずらですよ。
ステーン
むやみに空《あ》きかんなんかすてちゃいけないんだぞ!
せっかくさいた梅《うめ》の枝《えだ》を、
だれかが折《お》っていった!
図書館《としょかん》で借《か》りてきたらかんじんのページが……。
ひどいことする人《ひと》がいるのね。

あれ……。

なんか本棚《ほんだな》がガラーンとしちゃったような…。

古《ふる》いマンガ雑誌《ざっし》はすてたわよ。

なにをおこってるの?

みんな物《もの》をそまつにしすぎる!!

ほう…、めずらしくいいこというなあ。

まったくそのとおり。昔《むかし》の人《ひと》はもっと物《もの》をたいせつにしたもんだ。社会《しゃかい》がゆたかになるにつれてむだ使《づか》いがひどくなる。

二十二世紀《せいき》でも問題《もんだい》になってるんだ。

そこで……。

「たましいステッキ」

これでさわった物《もの》すべてがたましいを持《も》つんだ。

そうなるとそまつにあつかえなくなる。

心《こころ》の不思議《ふしぎ》Q&A《キューアンドエー》

Q ●に「心《こころ》」という漢字《かんじ》が入《はい》らないのはどれ?

①●機《き》一転《いってん》　②半《はん》●半疑《はんぎ》　③一《いっ》●不乱《ふらん》

A ②半《はん》●半疑《はんぎ》　ウソか本当《ほんとう》か判断《はんだん》に迷《まよ》うという意味《いみ》の「半信半疑《はんしんはんぎ》」が正解《せいかい》。「心機一転《しんきいってん》」「一心不乱《いっしんふらん》」の意味《いみ》も調《しら》べてみよう。

心《こころ》の不《ふ》思《し》議《ぎ》Q&A《キューアンドエー》

Q 「脳《のう》は10％しか活用《かつよう》されていない」というのは、本当《ほんとう》？　ウソ？

A ウソ　脳《のう》は、領域《りょういき》ごとに機能《きのう》するため、活発《かっぱつ》になる場所《ばしょ》が限定的《げんていてき》に見《み》えることがある。けれど、1日単位《にちたんい》で見《み》れば、脳全体《のうぜんたい》が使《つか》われているよ。

ためしてみよう。ジャイアンあの枝《えだ》を折《お》ってみな。
こうか？
こら。
ほらね、むやみに枝《えだ》を折《お》ったりしちゃいけないいんだよ。
おまえがやれといったんだ!!
町《まち》じゅうがたましいを持《も》ったよ。
衛星《えいせい》テレビできさめを見《み》たい。
ポイ
や〜、悪《わる》いな悪《わる》いな。

Q 「利き手」と同じように、右脳派、左脳派といった「利き脳」がある。本当？　ウソ？

みなさん、あの男がぼくをすてたんですよ〜。

ガラスを割ったのはとなりのケンちゃん。

うちの前にすいがらをすててるな。

みんな気をつければ、いい町になるよ。

いいことしたあとは気持ちがいいな。昼寝でもしよう。

だめっ、宿題をすませるんだ。

いつも忘れて立たされるんだ。こんな持ち主を持ってはずかしい。

ノートのくせになまいきな！

ワ〜〜、のび太がいじめた。

A ウソ　脳《のう》は、右側《みぎがわ》の「右大脳半球《みぎだいのうはんきゅう》」も左側《ひだりがわ》の「左大脳半球《ひだりだいのうはんきゅう》」も、ほとんど同《おな》じ割合《わりあい》で使《つか》われていることがわかっている。

心《こころ》の不《ふ》思《し》議《ぎ》Q&A《キューアンドエー》 **Q** 脳《のう》の構造《こうぞう》は、男性《だんせい》と女性《じょせい》でほとんど同《おな》じ。本当《ほんとう》？ ウソ？

ブー
きたないごみをすわされるなんていやだ!!
やっぱりもとにもどそう。
じゃ、ステッキのスイッチ切《き》らなくちゃ。
ステッキ………、どこへおいたかな。
あれがないとどうしようもないぞ!!
そうだ！
ジャイアンに追《お》っかけられたとき、空《あ》き地《ち》に……。
あれ？
足《あし》が動《うご》かない。
せっかくたましいを持《も》ったんだ。
もとになんかもどさせないぞ！
靴《くつ》がさからってるのか。
どうしても空《あ》き地《ち》へ行《い》かなくちゃ。

A 本当《ほんとう》 脳《のう》の構《こう》造《ぞう》自《じ》体《たい》は、男性《だんせい》も女性《じょせい》もほぼ同《おな》じ。ただし、脳内《のうない》の情報交換《じょうほうこうかん》の方法《ほうほう》が、男女《だんじょ》で少《すこ》し異《こと》なるという実験結果《じっけんけっか》がある。

第《だい》1章《しょう》 心《こころ》ってなんだろう?

心《こころ》について考《かんが》えてみよう

心《こころ》ってなんだろう?

ドラえもんとのび太《た》くんが、ひみつ道具《どうぐ》を使《つか》ってのぞいていた「心《こころ》」。みんなも、心《こころ》をもっているよね。では、心《こころ》ってなんだと思《おも》う?

心《こころ》は、私《わたし》たち人間《にんげん》の感情《かんじょう》や意思《いし》、知識《ちしき》、理性《りせい》といった精神《せいしん》の動《うご》きの「もと」になるものだ。ときには、そうした精神《せいしん》の動《うご》きそのものを指《さ》すこともある。みんなも「うれしい」や「悲《かな》しい」、「好《す》き」や「嫌《きら》い」という感情《かんじょう》や、「ここに行《い》こう」「これをしよう」といった意思《いし》は、心《こころ》で感《かん》じたと思《おも》うんじゃないかな。

もし、心《こころ》がなくなってしまったら、どうなるだろう。楽《たの》しい気持《きも》ちやうれしい気持《きも》ちを感《かん》じることができなくなるかもしれない。なんの気持《きも》ちも感《かん》じなくなって、気《き》力《りょく》もなくなり、食事《しょくじ》をしたり、歩《ある》いたり、話《はな》したり、当《あ》たり前《まえ》にしていることもできなくなってしまうかもしれない。心《こころ》は、人間《にんげん》にとって、欠《か》かせないものなんだ。

▲心《こころ》がなくなったらどうなるか、みんなも想像《そうぞう》してみよう。

心《こころ》はどこにある?

では、心《こころ》は、どこにあると思《おも》う?

ものを考《かんが》えるのは頭《あたま》だから、心《こころ》は頭《あたま》にあるのかな。それとも、好《す》きな人《ひと》のことを考《かんが》えたり、こわかったりするときにドキドキするのは心臓《しんぞう》だから、心《こころ》は胸《むね》にあるのかな。緊張《きんちょう》したときや心配事《しんぱいごと》があるときにはおなかや胃《い》が痛《いた》くなることもあるから、心《こころ》はおなかに関係《かんけい》しているように思《おも》えるかもしれないね。

いろいろな研究《けんきゅう》の結果《けっか》、

▲心《こころ》のある場所《ばしょ》については、多《おお》くの学者《がくしゃ》が研究《けんきゅう》しているよ。

心《こころ》の動《うご》きは、脳《のう》に関係《かんけい》していることがわかっている。でも、心《こころ》は体《からだ》にあると感《かん》じたことも正解《せいかい》。体《からだ》があるからこそ、脳《のう》があり、心《こころ》の動《うご》きが生《う》まれるというように、心《こころ》と体《からだ》は切《き》り離《はな》せない関係《かんけい》にあることもわかっているんだ。

心《こころ》と脳《のう》の関係《かんけい》については、第《だい》2章《しょう》でもくわしく紹介《しょうかい》していくよ。

自分《じぶん》やほかの人《ひと》の心《こころ》を知《し》ること、想像《そうぞう》することは大切《たいせつ》

もしも相手《あいて》の心《こころ》が簡単《かんたん》にのぞけるようになったら便利《べんり》だけれど、困《こま》ってしまうことも出《で》てくるよね。うそをついたり、隠《かく》しごとをしたりすることはできなくなるし、思《おも》っていることがすべてわかるなら、会話《かいわ》も必要《ひつよう》なくなるかもしれない。みんなにも、ほかの人《ひと》に知《し》られたくない秘密《ひみつ》や思《おも》いが、きっとあるよね。だから、人《ひと》の心《こころ》を直接《ちょくせつ》のぞけるような道具《どうぐ》がないのは、いいことなのかもしれない。

人《ひと》の心《こころ》を読《よ》んだりのぞいたりはできないけれど、私《わたし》たちは、ほかの人《ひと》の心《こころ》を想像《そうぞう》してみることはできる。

みんなも、おうちの人《ひと》や先生《せんせい》に、「人《ひと》の気持《きも》ちを考《かんが》えて行動《こうどう》しましょう」と言《い》われることがよくあるよね。人《ひと》の気持《きも》ちや心《こころ》を考《かんが》えるためには、自分《じぶん》の心《こころ》を知《し》ることもとても大切《たいせつ》だ。「○○をされたら私《わたし》はうれしいな。だから、○○さんも喜《よろこ》ぶだろうな」なんて考《かんが》えたこと、きみもあるんじゃない？　自分《じぶん》の心《こころ》を知《し》るためには、いろいろなときに、今自分《いまじぶん》がどんな気持《きも》ちでいるのか、考《かんが》えてみることも大事《だいじ》なんだ。自分《じぶん》の気持《きも》ちを知《し》るための方法《ほうほう》については、第《だい》3章《しょう》でくわしく説明《せつめい》していくよ。

一口《ひとくち》コラム　心《こころ》は「目《め》」にもある？

相手《あいて》がうそをついているかいないかは、その人《ひと》の「目《め》」を見《み》ればわかるって話《はなし》を聞《き》いたことはない？「目《め》は心《こころ》の鏡《かがみ》」「目《め》は口《くち》ほどにものを言《い》う」なんてことわざもあるよね。うそをついていると、相手《あいて》の目《め》をまっすぐに見《み》られなかったり、まばたきが多《おお》くなったり、視線《しせん》がさまよってしまうことがある。また、顔《かお》は笑《わら》っていても、目《め》だけは笑《わら》っていないことから、愛想笑《あいそわら》いがばれてしまうこともある。「目《め》」が心《こころ》を表《あらわ》すというのは、本当《ほんとう》の話《はなし》なんだ。

また、目《め》のなかにある黒《くろ》い「瞳《ひとみ》」も心《こころ》を反映《はんえい》する。ある研究《けんきゅう》では、好《す》きなものを見《み》たり、集中《しゅうちゅう》したりしているときには、瞳《ひとみ》（瞳孔《どうこう》）が拡大《かくだい》することがわかっているよ。しっかりと目《め》を見《み》て話《はな》せば、相手《あいて》の「心《こころ》」を少《すこ》しのぞくことができるかもしれないね。

『心《こころ》』がもついろいろな意味《いみ》

どれだけ知《し》っている? 「心《こころ》」にまつわる言葉《ことば》

みんなは、「心《こころ》」を使《つか》った慣用句《かんようく》をどれだけ知《し》っているかな? 心《こころ》を入《い》れかえる、心《こころ》を配《くば》る、心《こころ》に残《のこ》る、心《こころ》が広《ひろ》いなど、いろいろあるよね。こうした言葉《ことば》には、26ページでも考《かんが》えた、「心《こころ》ってなんだろう?」という疑問《ぎもん》の答《こた》えになるヒントがつまっているんだ。

例《たと》えば、「心《こころ》をこめて作《つく》った料理《りょうり》」「心《こころ》をこめて歌《うた》う」などのように使《つか》う「心《こころ》をこめる」という言葉《ことば》。このときの「心《こころ》」は、「相手《あいて》に対《たい》する愛情《あいじょう》や感謝《かんしゃ》や思《おも》いやり」という意味《いみ》で使《つか》われる。ここでこめているのは、相手《あいて》に対《たい》する「よい気持《きも》ち」だよね。

また、「うそや飾《かざ》り気《け》のない本当《ほんとう》の気持《きも》ち」という意味《いみ》で使《つか》われることもある。「心《こころ》から感謝《かんしゃ》する」「心《こころ》にもないお世辞《せじ》を言《い》う」「心《こころ》を読《よ》む」などは、この意味《いみ》で使《つか》われるよ。さっきの「心《こころ》をこめる」も、「『ごめんなさい』に心《こころ》がこもっていないよ」などと否定《ひてい》の形《かたち》で使《つか》われるときは、「本当《ほんとう》の気持《きも》ち（がこもっていない）」という意味《いみ》のことが多《おお》いんだ。

ちょっと変《か》わったものでは、「なぞかけ」をするときの決《き》まり文句《もんく》として使《つか》うこともある。テレビなどで、こんなやりとりを見《み》たことがないかな?

「○○とかけまして××ととく」
「その心《こころ》は?」
「どちらも△△でしょう」

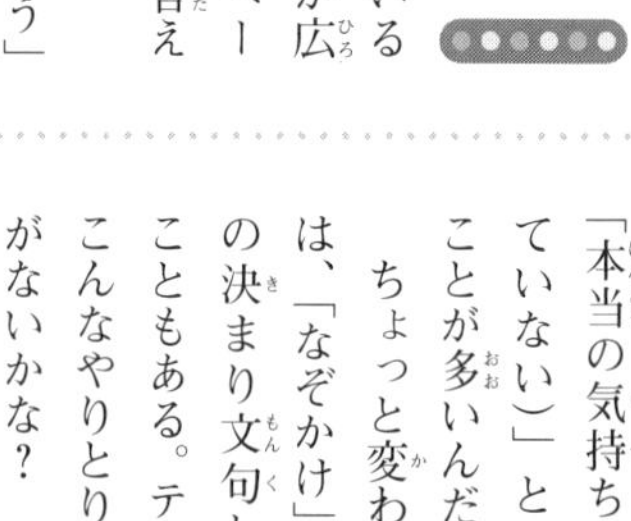

ここでの「心《こころ》」は、「意味《いみ》」「理由《りゆう》」「根拠《こんきょ》」などの意味《いみ》で使《つか》われているよ。

まだまだある「心《こころ》」のいろいろな意味《いみ》

ほかにも、「心《こころ》」はいろいろな意味《いみ》で使《つか》われることがあ

る。いくつか紹介《しょうかい》していこう。

●「心《こころ》を入《い》れかえる」

悪《わる》いことをした人《ひと》が「これからは心《こころ》を入《い》れかえて、よい行《おこな》いをします」と言《い》ったり、勉強《べんきょう》をサボってしまったときに「明日《あす》からは心《こころ》を入《い》れかえて頑張《がんば》ろう」と言《い》ったりするよね。このときの「心《こころ》」は、「身《み》についた性質《せいしつ》や考《かんが》え方《かた》、行《おこな》い」という意味《いみ》で使《つか》われているよ。

●「心《こころ》の準備《じゅんび》」「心《こころ》を決《き》める」

これは、これから起《お》こることやるべきことに対《たい》して「覚悟《かくご》を決《き》める」という意味《いみ》。「発表会《はっぴょうかい》に向《む》けて、心《こころ》の準《じゅん》備《び》をする」などと使《つか》われるよ。同《おな》じような意味《いみ》で使《つか》われる言葉《ことば》に、「心《こころ》を決《き》める」というのもある。これも「覚悟《かくご》する」「やる気《き》を出《だ》す」という意味《いみ》だよ。

●「心《こころ》が広《ひろ》い」「心《こころ》が狭《せま》い」

これは、「ほかの人《ひと》のまちがいや自分《じぶん》とはちがった考《かんが》え方《かた》などを受《う》け入《い》れる余裕《よゆう》や度量《どりょう》」という意味《いみ》。余裕《よゆう》がある人《ひと》は、「心《こころ》が広《ひろ》い」と言《い》われるし、余裕《よゆう》がない人《ひと》は「心《こころ》が狭《せま》い」と言《い》われてしまうよ。

●「心《こころ》に残《のこ》る」「心《こころ》に留《と》める」

これはどちらも「記憶《きおく》する」という意味《いみ》。単《たん》に「記憶《きおく》に残《のこ》る体験《たいけん》でした」と言《い》うよりも、もっと感情《かんじょう》を揺《ゆ》さぶられた感覚《かんかく》を伝《つた》えることができるよ。

●「心《こころ》を配《くば》る」

これは「気《き》を配《くば》る」と同《おな》じように使《つか》い、「注意《ちゅうい》する」という意味《いみ》を表《あらわ》す。「心《こころ》の行《ゆ》き届《とど》いたサービス」などと使《つか》うこともあるよね。

●「絵《え》心《ごころ》がある」「詩《し》の心《こころ》に触《ふ》れる」

「絵《え》心《ごころ》がある」は「絵《え》をかいたり、鑑賞《かんしょう》したりする能力《のうりょく》がある」という意味《いみ》で、「詩《し》の心《こころ》に触《ふ》れる」は「詩《し》のもつ味《あじ》わいや美《うつく》しさに触《ふ》れる」という意味《いみ》。こんなふうに、「ものごとのもつ美《うつく》しさやおもしろみなどの味《あじ》わいを理解《りかい》する力《ちから》」という意味《いみ》で使《つか》われることもあるんだ。

●「心《こころ》をうばわれる」

このときの「心《こころ》」は、「関心《かんしん》」や「興味《きょうみ》」といった意味《いみ》だ。きみも、勉強《べんきょう》をしているときに、ついついテレビやゲームに心《こころ》をうばわれてしまうこと、きっとあるよね。

みんなも、「心《こころ》」を辞書《じしょ》で引《ひ》いてみよう。いろいろな意味《いみ》がのっているよ。

▲授業中《じゅぎょうちゅう》、外《そと》の景色《けしき》に「心《こころ》をうばわれて」いる様子《ようす》。

心《こころ》の研究《けんきゅう》の歴史《れきし》を知《し》ろう

心《こころ》のある場所《ばしょ》には いろいろな説《せつ》があった

心《こころ》が人間《にんげん》のどこにあるかということは、昔《むかし》から多《おお》くの人《ひと》が研究《けんきゅう》してきた。例《たと》えば、紀元前《きげんぜん》1700年《ねん》ごろ、古《こ》代《だい》エジプトでは、心《こころ》は、心臓《しんぞう》や子宮《しきゅう》にあると考《かんが》えられていた。また、古代《こだい》ギリシャの哲学者《てつがくしゃ》アリストテレスも、心《こころ》は心臓《しんぞう》にあると唱《とな》えていたよ。

脳《のう》の研究《けんきゅう》の起《お》こりは早《はや》く、紀元前《きげんぜん》3500年《ねん》ごろから行《おこな》われてきたんだけれど、心《こころ》が脳《のう》に関係《かんけい》していると考《かんが》えられ始《はじ》めたのは、紀元前《きげんぜん》5~4世紀《せいき》ごろ。古代《こだい》ギリシャの医師《いし》ヒポクラテスが、本《ほん》のなかで脳《のう》が精神活動《せいしんかつどう》の場《ば》になっていると唱《とな》えたのがおおよその始《はじ》まりだ。その後《ご》、紀元前《きげんぜん》387年《ねん》ごろには、古代《こだい》ギリシャの哲学者《てつがくしゃ》プラトンも、脳《のう》が精神作用《せいしんさよう》の源《みなもと》になっていると主張《しゅちょう》したよ。

ある事故《じこ》がきっかけでわかった 心《こころ》に関係《かんけい》のある場所《ばしょ》

心《こころ》と脳《のう》の研究《けんきゅう》の歴史年表《れきしねんぴょう》

●紀元前《きげんぜん》3500年《ねん》ごろ
脳研究《のうけんきゅう》の始《はじ》まり。古代《こだい》エジプトの当時《とうじ》のパピルス（植物《しょくぶつ》から作《つく》られる現在《げんざい》の紙《かみ》のようなもの）に、脳《のう》の研究《けんきゅう》についての記述《きじゅつ》が見《み》つかっていることから、このころが起《き》源《げん》だと考《かんが》えられている。

●紀元前《きげんぜん》450年《ねん》ごろ
古代《こだい》ギリシャ人《じん》が、人間《にんげん》の感覚《かんかく》の中核《ちゅうかく》がある場所《ばしょ》として、脳《のう》を認識《にんしき》し始《はじ》める。

●紀元前《きげんぜん》4~3世紀《せいき》
古代《こだい》ギリシャの解剖学者《かいぼうがくしゃ》ヘロフィロスが脳《のう》のなかにある4つの「脳室《のうしつ》」のうち、第《だい》4の脳室《のうしつ》に心《こころ》があると主張《しゅちょう》。

●1543年《ねん》
ヨーロッパの解剖学者《かいぼうがくしゃ》で医師《いし》のヴェサリウスが、解剖《かいぼう》学書《がくしょ》を出版《しゅっぱん》。脳《のう》のスケッチが初《はじ》めて入《い》れられた。

●19世紀初頭《せいきしょとう》
脳《のう》にある神経細胞《しんけいさいぼう》（ニューロン）が発見《はっけん》される。

●1861年《ねん》
フランスの外科医《げかい》ブローカが、前頭葉《ぜんとうよう》に運動性言語野《うんどうせいげんごや》（言葉《ことば》を話《はな》す機能《きのう》を司《つかさど》る）があることを発見《はっけん》。

脳《のう》の特定《とくてい》の場所《ばしょ》が心《こころ》に関係《かんけい》があることが発見《はっけん》されたのは、1848年《ねん》のあるできごとから。この年《とし》、アメリカで鉄道建築技術員《てつどうけんちくぎじゅついん》をしていたフィニアス・ゲージという人《ひと》が、仕事中《しごとちゅう》に爆発事故《ばくはつじこ》にあい、約《やく》1メートルもある鉄《てつ》の棒《ぼう》が、左《ひだり》ほおから頭《あたま》までを突《つ》き抜《ぬ》けてしまった。この事故《じこ》をきっかけに、真面目《まじめ》で頼《たよ》れるリーダーだったゲージの性格《せいかく》が、怒《おこ》りっぽくて衝動的《しょうどうてき》になり、自分《じぶん》の気持《きも》ちをコントロールできなくなってしまったんだって。後《のち》に、ゲージの頭蓋骨《ずがいこつ》が研究《けんきゅう》されると、脳《のう》の前頭葉《ぜんとうよう》という部分《ぶぶん》が事故《じこ》で傷《きず》つけられていたことがわかったんだ。こうした研究《けんきゅう》がきっかけになり、前頭葉《ぜんとうよう》が、人格《じんかく》や性格《せいかく》に関係《かんけい》していることがわかってきたよ。

その後《ご》、医療技術《いりょうぎじゅつ》が発達《はったつ》した20世紀初頭《せいきしょとう》には、脳《のう》の手術《しゅじゅつ》などを行《おこな》う脳外科《のうげか》という分野《ぶんや》が確立《かくりつ》された。今《いま》も、脳《のう》にまつわる研究《けんきゅう》はどんどん進《すす》んでいるよ。

▲脳《のう》の事故《じこ》をきっかけに、別人《べつじん》のように性格《せいかく》が変《か》わってしまったゲージ。

●**1874年《ねん》**
ドイツの神経学者《しんけいがくしゃ》ウェルニッケが、側頭葉《そくとうよう》に感覚性言語野《かんかくせいげんごや》（言葉《ことば》を理解《りかい》する機能《きのう》を司《つかさど》る）があることを発見《はっけん》。

●**1900年《ねん》ごろ**
フロイトにより精神分析《せいしんぶんせき》が広《ひろ》められる。

●**1953年《ねん》**
重《おも》いてんかん発作《ほっさ》の治療《ちりょう》で脳《のう》の手術《しゅじゅつ》を受《う》けた患者《かんじゃ》が記憶力《きおくりょく》を失《うしな》ったことから、「海馬《かいば》」が記憶《きおく》に関係《かんけい》していることが発見《はっけん》される。これをきっかけに、海馬《かいば》と記憶《きおく》の関係《かんけい》がよりくわしく研究《けんきゅう》されるようになった。

●**1970年代《ねんだい》〜**
MRI《エムアールアイ》（磁気共鳴画像法《じききょうめいがぞうほう》）やPET《ピーイーティー》（陽電子放射断層撮影法《ようでんしほうしゃだんそうさつえいほう》）などの脳内《のうない》を撮影《さつえい》する技術《ぎじゅつ》が進歩《しんぽ》し、よりくわしく脳《のう》の働《はたら》きを研究《けんきゅう》することができるようになる。

●**1996年《ねん》**
ミラーニューロンが発見《はっけん》される。

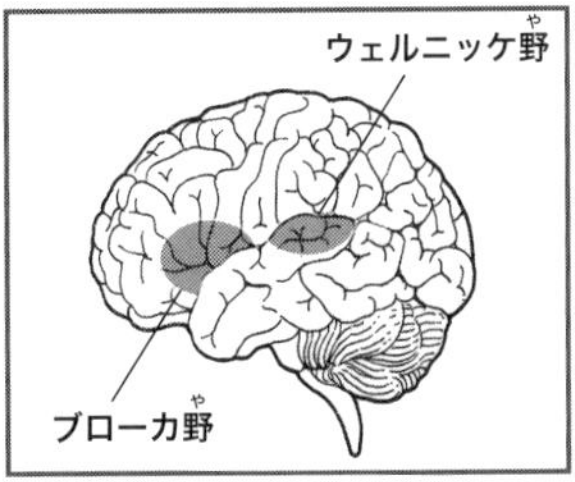

どちらの部位《ぶい》にも、発見者《はっけんしゃ》の名前《なまえ》がついている。

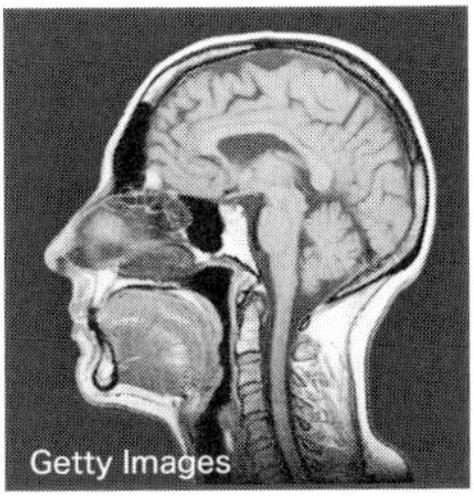

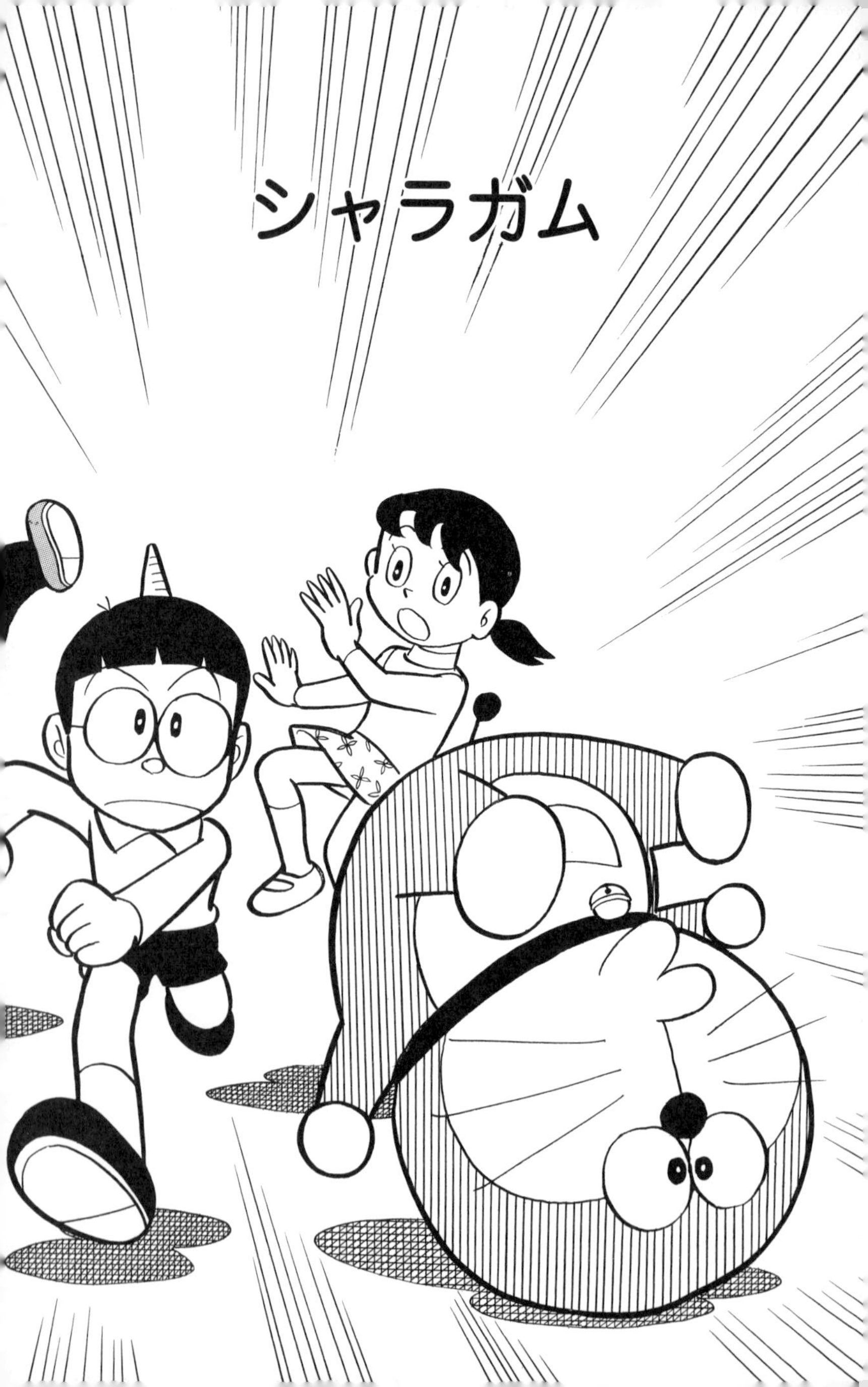
シャラガム

待《ま》ってたよ、しょうぎのつづきをやろう。
あとで！
おいしいケーキを焼《や》いたのよ。お茶《ちゃ》を入《い》れるわ。
決心《けっしん》したんだ！帰《かえ》ったら三時間《じかん》みっちり勉強《べんきょう》する！すべてはそのあとにしてもらいたい。

かたい決意《けつい》を
しめすひとみ
きりりと
むすんだ口《くち》
ぐっと
そらした胸《むね》
自信《じしん》にみちた
足《あし》どり
またか。
またね。
半年《はんとし》に一ぺんほどの割《わり》で、発作的《ほっさてき》に決心《けっしん》するんだけど……。
今度《こんど》は一週間《しゅうかん》つづくかしら。
あのようすじゃ、二、三日《にち》ね。
一日《にち》でも長《なが》つづきするよう、いのりましょ。
こんどこそやりぬくぞ
かたく心《こころ》にちかったのだ。
こんどこそやりぬくぞ
ぼくももうすぐ中学生《ちゅうがくせい》。
このへんでしんけんに人生《じんせい》と取《と》りくまねば、
永久《えいきゅう》に取《と》りのこされてしまう。

心《こころ》の不思議《ふしぎ》Q&A《キューアンドエー》 Q 脳《のう》の重《おも》さはどれくらい? ①約《やく》0・5キログラム ②約《やく》1・5キログラム ③約《やく》10・5キログラム

A ②約《やく》1・5キログラム　成人《せいじん》で約《やく》1・5キログラム。体重《たいじゅう》のおおよそ2〜2・5%で、人《ひと》によって重《おも》さに差《さ》があるよ。

やめたんじゃないからな。
勉強《べんきょう》のために行《い》くんだからな。
やりぬく!
やあしずちゃんか。
え? のび太《た》がどうしたって?
まだ行《い》かない?
だって、三十分《ぷん》も前《まえ》に家《いえ》を出《で》たよ。
どこでひっかかってるんだ。
こんなことだと思《おも》った。
アハハ……。
あっ、そうだった。
バカバカバカ。
ぼくはなんてだめなやつだろう。

心《こころ》の不《ふ》思《し》議《ぎ》Q&A《キューアンドエー》

Q 脳《のう》の主《おも》なエネルギー源《げん》になるのは?

①糖質《とうしつ》 ②タンパク質《しつ》 ③脂質《ししつ》

A ①糖質《とうしつ》　脳《のう》は、糖質《とうしつ》のうち、グルコース（ブドウ糖《とう》）を主《おも》な栄養源《えいようげん》にして働《はたら》いているよ。

…………。
どうしておこらないの。
なんかしゃべってくれよ。
もうおこる気《き》にもなれないね。
遊《あそ》ぶなりひるねするなり、好《す》きにすればいい。
つめたいこといわないでえ。
やりぬくための機械《きかい》かなんか、出《だ》してくれよ。
それがいけないんだ。
きみは、すぐぼくにたよろうとする。
きみが未来《みらい》から来《き》たのは、ぼくをたすけるためだろ！
はじめだけ手伝《てつだ》ってくれればいいんだ。
自信《じしん》さえつけば、あとひとりでやれるから。
じゃ……。

「シャラガム」
SHYARA GUM
それをかむと、ガムシャラになるんだ。
やろうと思《おも》ったことは、なにがなんでもやりとげる力《ちから》がつくよ。
ほんとにそうなるといいけど……。
ぼくは、
これから五分以内《ふんいない》にしずちゃんの家《いえ》に着《つ》く。
わからないとこ教《おし》えてもらって、二十分以内《ぶんいない》に家《いえ》に帰《かえ》って勉強《べんきょう》をつづける。
しっかりやれよ。
やりぬくとも。
どんなゆうわくが来《き》ても、ふりきってガムシャラに進《すす》むんだ！
よう、まんが見《み》せてやろうか。
見《み》せて、見《み》せて。
キキーッ

心《こころ》の不思議《ふしぎ》Q&A《キューアンドエー》

Q 脳《のう》は、体全体《からだぜんたい》に必要《ひつよう》なエネルギーのうち、約何《やくなん》%を消費《しょうひ》する？

①5%

②10%

③20%

人《ひと》のことだめにしようと思《おも》って!
悪魔《あくま》の手先《てさき》め!
?
ぶじたどりついた。
時間《じかん》がない。
あいさつぬきで、ようじだけすませたい。
こんなふうに、ちょっと見《み》かたをかえてみればいいのよ。
なあんだ。こんなかんたんなことだったのか。
ねえ、おもしろいゲームが売《う》りだされたのよ。
買《か》ったの?
やろう、やろう。
クルッ
またいつか。
すっごくおもしろいのよ。
うう……、自分《じぶん》との戦《たたか》いは苦《くる》しいなあ。
クルッ
クルッ
なにやってんの。

A ③20% 脳《のう》の重《おも》さは体重《たいじゅう》の約《やく》2%だけれど、体全体《からだぜんたい》の約《やく》20%ものエネルギーを必要《ひつよう》とする。脳《のう》は小《ちい》さいけれど、いわゆる「大食《おおぐ》い」なんだ。

やっぱり決心《けっしん》を守《まも》るぞ!!
ガムシャラ!
てまどっちゃった。
あと六分《ぶん》で家《いえ》へ帰《かえ》りつかなくちゃいけない。
そっちへ行《い》くの、やめたほうがいいぜ。
ジャイアンがのび太《た》をぶんなぐるって、待《ま》ちぶせしてる。
こっちをまわったほうがいい。
そうしよう。
しかし…、約《やく》十分《ぷん》の遠《とお》まわりになるぞ。
ガムシャラ!
おお来《き》たか。
いいどきょうだ。
ここで立《た》ち止《ど》まっちゃ、いけないんだ!

心《こころ》の不思議《ふしぎ》Q&A《キューアンドエー》

Q 神経細胞《しんけいさいぼう》の寿命《じゅみょう》はどれくらい?

①約《やく》1年《ねん》 ②約《やく》10年《ねん》 ③約《やく》100年《ねん》

A ③約《やく》100年《ねん》　ほかの細胞《さいぼう》の寿命《じゅみょう》は10年《ねん》以内《いない》だけれど、神経細胞《しんけいさいぼう》は100年《ねん》以上《いじょう》の寿命《じゅみょう》をもつといわれているよ。

動《うご》いてるやつってなぐりにくいなあ。
やった!
自信《じしん》持《も》っていいよ。
さっきわたしたガムは、おかしだよ。
えっ、すると……。
きみは自分《じぶん》の意志《いし》の力《ちから》だけで、
やりぬいたんだ!
そうか、
ぼくもやる気《き》になりさえすれば、やれるんだね。
安心《あんしん》した。勉強《べんきょう》はあとにしよう。
また心細《こころぼそ》くなってきたなあ。

テスト・ロボット

こう、手《て》をつい て……。
悪《わる》かった、きみの気《き》のすむように、どうにでもしてくれ。
と、こういうぐあいに、
あわれっぽくもちかけるか、それとも……。

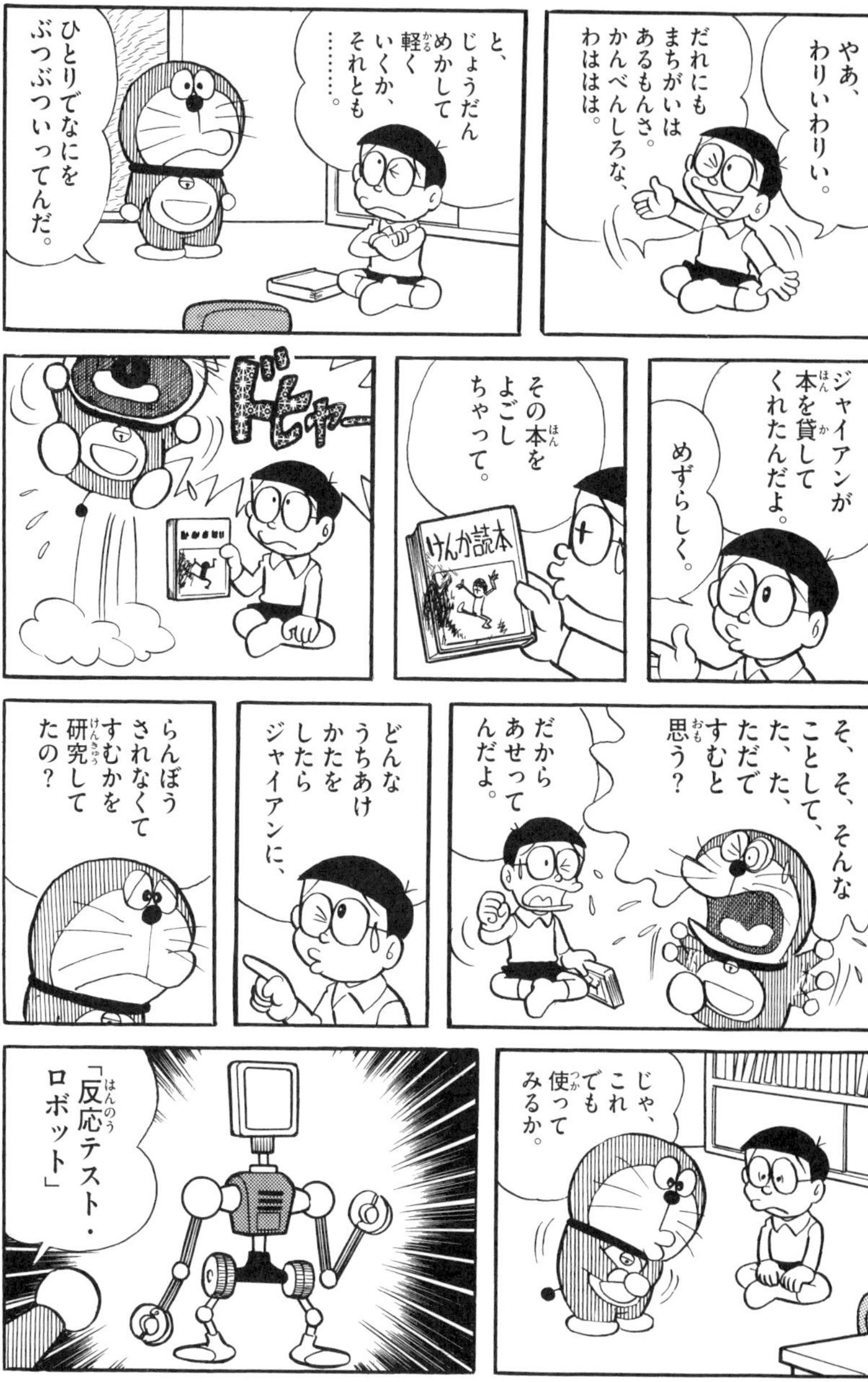

やあ、わりいわりい。
だれにもまちがいはあるもんさ。かんべんしろな、わはははは。
と、じょうだんめかして軽《かる》くいくか、それとも………。
ひとりでなにをぶつぶついってんだ。
ジャイアンが本《ほん》を貸《か》してくれたんだよ。
めずらしく。
その本《ほん》をよごしちゃって。
けんか読本
ドヒャー
そ、そ、そんなことして、た、た、ただですむと思《おも》う?
だからあせってんだよ。
どんなうちあけかたをしたらジャイアンに、
らんぼうされなくてすむかを研究《けんきゅう》してたの?
じゃ、これでも使《つか》ってみるか。
「反応《はんのう》テスト・ロボット」

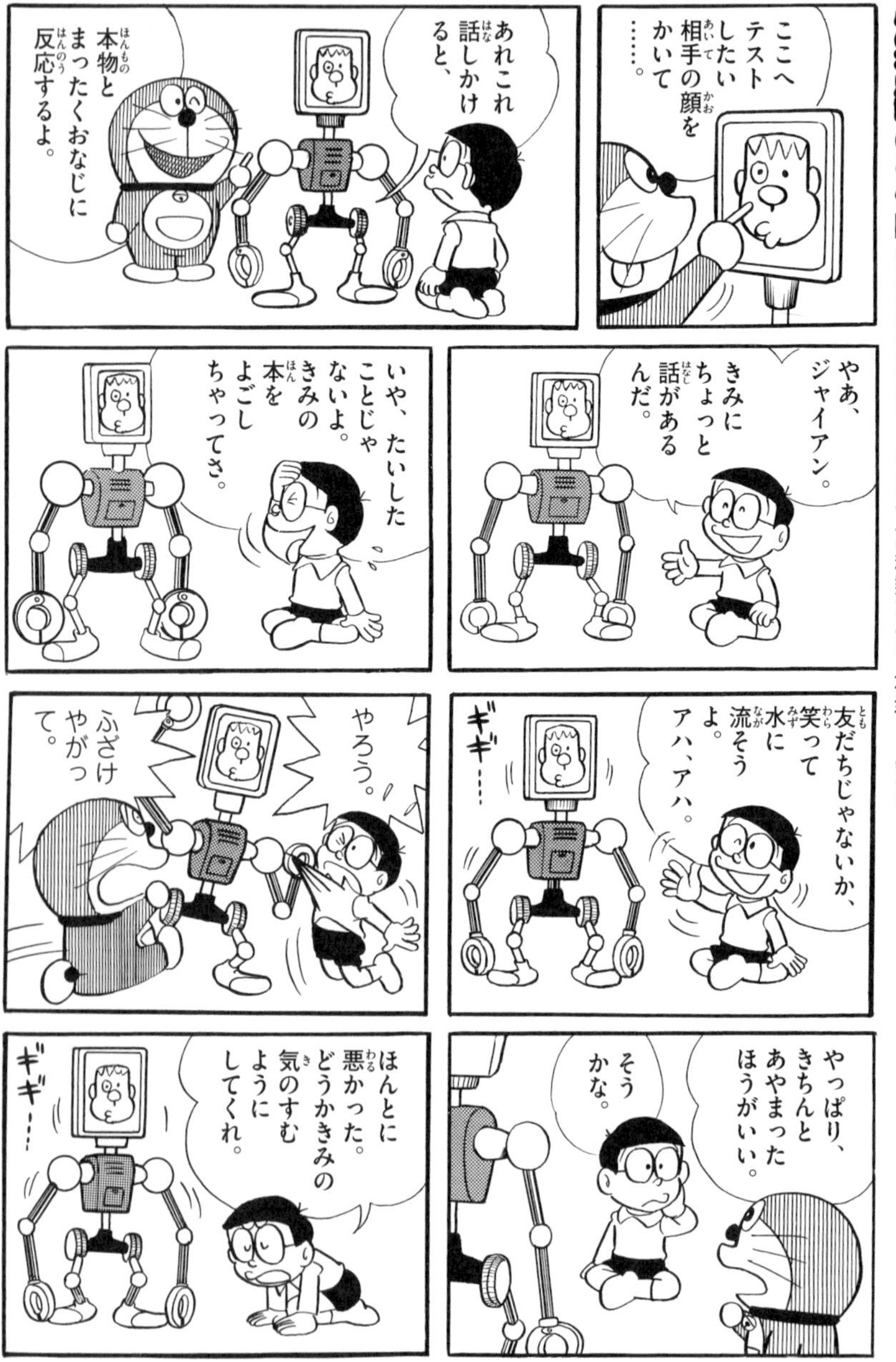
ここへテストしたい相手《あいて》の顔《かお》をかいて……。
あれこれ話《はな》しかけると、
本物《ほんもの》とまったくおなじに反応《はんのう》するよ。
やあ、ジャイアン。
きみにちょっと話《はなし》があるんだ。
いや、たいしたことじゃないよ。きみの本《ほん》をよごしちゃってさ。
友《とも》だちじゃないか、笑《わら》って水《みず》に流《なが》そうよ。アハ、アハ。
ギギ……
やろう。
ふざけやがって。
やっぱり、きちんとあやまったほうがいい。
そうかな。
ほんとに悪《わる》かった。どうかきみの気《き》のすむようにしてくれ。
ギギ…

心《こころ》の不《ふ》思《し》議《ぎ》Q&A《キューアンドエー》

Q 神経伝達物質《しんけいでんたつぶっしつ》には、100以上《いじょう》の種類《しゅるい》がある。本当《ほんとう》? ウソ?

A 本当《ほんとう》　ノルアドレナリンやドーパミンなど100以上《いじょう》の種類《しゅるい》があり、それぞれちがう性質《せいしつ》をもっているよ。

ちょっとふざけておどかしただけなんだ。
友《とも》だちじゃねえか、笑《わら》って水《みず》に流《なが》そうや。
ワハハハ
きみさえよければ。
おれの本《ほん》？

脳《のう》と心《こころ》と体《からだ》はどんな関係《かんけい》？

心《こころ》の動《うご》きは脳《のう》の働《はたら》き でも、体《からだ》がなければ脳《のう》は働《はたら》かない

第《だい》1章《しょう》でも紹介《しょうかい》したように、心《こころ》の動《うご》きは脳《のう》と関係《かんけい》している。私《わたし》たちがものを考《かんが》えて、何《なに》かを感《かん》じたり、記憶《きおく》したりすることができるのは、脳《のう》の働《はたら》きによるもの。具体的《ぐたいてき》には、脳《のう》にある「大脳《だいのう》」という部分《ぶぶん》が、心《こころ》の動《うご》きを生《う》み出《だ》しているよ（くわしくは49ページに）。

でも、「心《こころ》」には脳《のう》だけが関係《かんけい》しているかというと、それはちがう。なぜなら、脳《のう》は、体《からだ》につながっていなければ働《はたら》くことができないものだからだ。体《からだ》があるから脳《のう》を働《はたら》かせることができるし、脳《のう》があるから体《からだ》を動《うご》かすことができる。どちらが大切《たいせつ》というわけではなく、どちらも必要《ひつよう》なんだ。

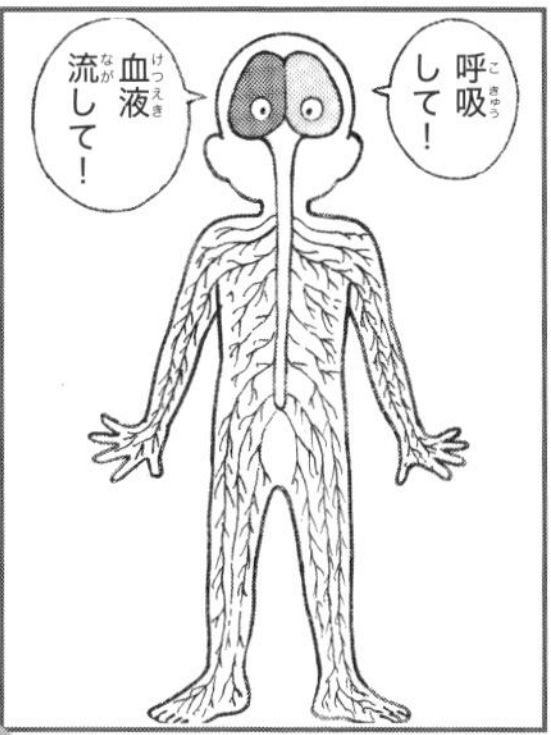

だから、正確《せいかく》にいえば、私《わたし》たちの心《こころ》は、脳《のう》と体《からだ》の両方《りょうほう》がバランスよく働《はたら》くことで成《な》り立《た》っているといえるんだよ。

脳《のう》には生命活動《せいめいかつどう》をコントロールする役割《やくわり》もある

脳《のう》は、私《わたし》たちの心《こころ》に密接《みっせつ》に関係《かんけい》しているけれど、私《わたし》たちの体《からだ》の機能《きのう》を支《ささ》えるための重要《じゅうよう》な役割《やくわり》ももっている。私《わたし》たちの体《からだ》には、たくさんの神経《しんけい》が張《は》りめぐらされていることは知《し》っているかな？ 脳《のう》と体《からだ》は、神経《しんけい》でつながっていて、脳《のう》が体《からだ》に指令《しれい》を送《おく》ることで、その働《はたら》きをコントロールしているんだ。

全身《ぜんしん》に通《かよ》っている神経《しんけい》は、働《はたら》きによって2つに分類《ぶんるい》されている。ひとつは、「中枢神経系《ちゅうすうしんけいけい》」と呼《よ》ばれる神経《しんけい》で、脳《のう》と脊髄《せきずい》のことを指《さ》す。もうひとつは、「末梢神経系《まっしょうしんけいけい》」で、全身《ぜんしん》のさまざまな器官《きかん》につながっている神経《しんけい》だ。

末梢神経系《まっしょうしんけいけい》には、運動《うんどう》したり体《からだ》を動《うご》かしたりする役割《やくわり》や、呼吸《こきゅう》や消化《しょうか》、血液《けつえき》を流《なが》すなど無意識《むいしき》のうちに行《おこな》われている生命活動《せいめいかつどう》を調整《ちょうせい》する役割《やくわり》などがある。私《わたし》たちが意《い》

識《しき》せず行《おこな》っている呼吸《こきゅう》や消化《しょうか》、体温調整《たいおんちょうせい》、血液《けつえき》の循環《じゅんかん》など、生《い》きるために必要《ひつよう》な活動《かつどう》も、脳《のう》でコントロールされているんだ。

だから、脳《のう》の機能《きのう》が損《そこ》なわれると、たとえ体《からだ》の機能《きのう》に問題《もんだい》がなくても、心臓《しんぞう》や呼吸《こきゅう》などの生命活動《せいめいかつどう》が停止《ていし》して、生《い》きていくことができなくなってしまう場合《ばあい》もある。脳《のう》は、心《こころ》にとっても体《からだ》にとっても、重要《じゅうよう》な器官《きかん》なんだね。

脳《のう》は何《なに》からできている？

私《わたし》たちの体《からだ》が、約《やく》60兆個《ちょうこ》の「細胞《さいぼう》」でできていることは、みんなも知《し》っているかもしれないね。脳《のう》も全身《ぜんしん》のほかの器官《きかん》と同《おな》じように細胞《さいぼう》からできていて、その脳《のう》の細胞《さいぼう》は、大《おお》きく分《わ》けて「神経細胞《しんけいさいぼう》（ニューロン）」と「グリア細胞《さいぼう》」の2種類《しゅるい》があるよ。

脳《のう》に伝《つた》わった情報《じょうほう》は、主《おも》にニューロンと呼《よ》ばれる神経《しんけい》細胞《さいぼう》でやりとりされている。脳《のう》にはこの神経細胞《しんけいさいぼう》が1000億個《おくこ》以上《いじょう》あり、それぞれが独立《どくりつ》して存在《そんざい》している。神経細胞同士《しんけいさいぼうどうし》は、「シナプス」と呼《よ》ばれる神経結合部《しんけいけつごうぶ》でつながっていて、脳《のう》に入《はい》ってきた情報《じょうほう》は、電気信号《でんきしんごう》になり、神経細胞《しんけいさいぼう》↓シナプス↓神経細胞《しんけいさいぼう》と伝《つた》わっていくんだ。

一方《いっぽう》、グリア細胞《さいぼう》は、神経細胞《しんけいさいぼう》がきちんと働《はたら》くようにサポートする働《はたら》きをする。神経細胞《しんけいさいぼう》を保護《ほご》したり、シナプスの機能《きのう》を検査《けんさ》し、修復《しゅうふく》したりする重要《じゅうよう》な役割《やくわり》があることがわかっていて、そのくわしい働《はたら》きについては、現在《げんざい》も研究《けんきゅう》が進《すす》められているよ。

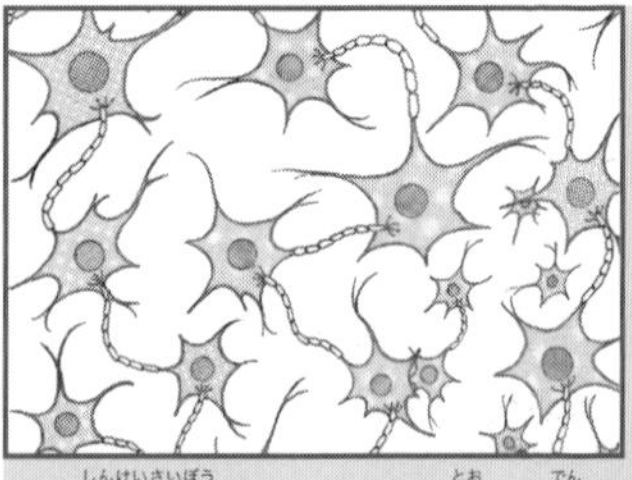

▲神経細胞《しんけいさいぼう》は、シナプスを通《とお》して電気信号《でんきしんごう》を伝達《でんたつ》している。

神経細胞《しんけいさいぼう》のすき間《ま》に情報《じょうほう》を流《なが》す「神経伝達物質《しんけいでんたつぶっしつ》」

脳《のう》に伝《つた》わる情報《じょうほう》は、神経細胞《しんけいさいぼう》とシナプスに電気信号《でんきしんごう》として伝《つた》わっていくと紹介《しょうかい》したけれど、神経細胞《しんけいさいぼう》とシナプスの間《あいだ》には、数万分《すうまんぶん》の1ミリメートルというほんのわずかなすき間《ま》が空《あ》いている。実《じつ》は、このすき間《ま》には電気信号《でんきしんごう》を流《なが》すことができないんだ。

そこで情報《じょうほう》を送《おく》る側《がわ》の神経細胞《しんけいさいぼう》は、電気信号《でんきしんごう》を一時的《いちじてき》に「神経伝達物質《しんけいでんたつぶっしつ》」という化学物質《かがくぶっしつ》に変《か》え、このすき間《ま》を通《とお》している。すき間《ま》を通《とお》った神経伝達物質《しんけいでんたつぶっしつ》は、受《う》け取《と》る側《がわ》の神経細胞《しんけいさいぼう》で再《ふたた》び電気信号《でんきしんごう》に変《か》えられ、情報《じょうほう》が伝《つた》わっていくよ。

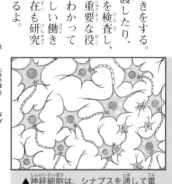

心《こころ》に関係《かんけい》する脳《のう》のしくみ

人間《にんげん》らしさは「大脳《だいのう》」でコントロールされている

大脳《だいのう》は、私《わたし》たちの「心《こころ》」に最《もっと》も関《かか》わりのある部分《ぶぶん》だ。名前《なまえ》の通《とお》り大《おお》きくて、脳全体《のうぜんたい》の約《やく》80％が、この大脳《だいのう》にあたるんだ。

みんなは脳《のう》のしわを左《ひだり》のようなイラストで見《み》たことがあるんじゃないかな。大脳《だいのう》の表面《ひょうめん》をおおっている「大脳《だいのう》皮質《ひしつ》」にはたくさんのしわがあり、しわのへこんだ部分《ぶぶん》のことを「脳溝《のうこう》」という。なかでも特《とく》に大《おお》きくて深《ふか》い3つの溝《みぞ》は「外側溝《がいそくこう》」「中心溝《ちゅうしんこう》」「頭頂後頭溝《とうちょうこうとうこう》」と呼《よ》ばれるよ。細《こま》かな「脳溝《のうこう》」の入《はい》り方《かた》は、人《ひと》によって少《すこ》しずつ差《さ》があるんだけど、外側溝《がいそくこう》、中心溝《ちゅうしんこう》、頭頂後頭溝《とうちょうこうとうこう》は、だれでもほぼ決《き》まった場所《ばしょ》にあるんだ。

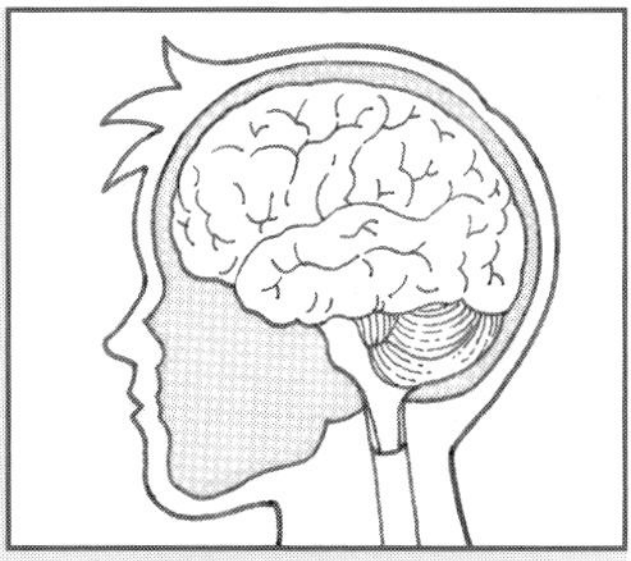

▲大脳皮質《だいのうひしつ》のしわをすべて伸《の》ばすと、新聞紙《しんぶんし》1面分《めんぶん》くらいになるよ。

そして、3つの深《ふか》い溝《みぞ》で分《わ》けられた4つの部分《ぶぶん》を脳葉《のうよう》といい、領域《りょういき》ごとに「前頭葉《ぜんとうよう》」「側頭葉《そくとうよう》」「頭頂葉《とうちょうよう》」「後頭葉《こうとうよう》」と名前《なまえ》がついている。このうち、心《こころ》に大《おお》きく関係《かんけい》しているのは、「前頭葉《ぜんとうよう》」という領域《りょういき》だよ。

前頭葉《ぜんとうよう》、側頭葉《そくとうよう》、頭頂葉《とうちょうよう》、後頭葉《こうとうよう》のそれぞれの役割《やくわり》

「前頭葉《ぜんとうよう》」「側頭葉《そくとうよう》」「頭頂葉《とうちょうよう》」「後頭葉《こうとうよう》」が大脳《だいのう》のどこにあってどんな働《はたら》きをしているのか、具体的《ぐたいてき》に見《み》ていこう。

●前頭葉《ぜんとうよう》

大脳全体《だいのうぜんたい》の約《やく》30％を占《し》める、最《もっと》も大《おお》きな領域《りょういき》。言葉《ことば》を話《はな》したり書《か》いたりするときに働《はたら》く「ブローカ野《や》」や、体《からだ》を動《うご》かすときに働《はたら》く「一次運動野《いちじうんどうや》」「運動前野《うんどうぜんや》」などがある。私《わたし》たちが言葉《ことば》をあやつり、運動《うんどう》することができるのは、この前頭葉《ぜんとうよう》のおかげなんだ。

また、側頭葉《そくとうよう》、頭頂葉《とうちょうよう》、後頭葉《こうとうよう》が受《う》けた情報《じょうほう》をまとめ、行動《こうどう》や判断《はんだん》を決定《けってい》する「前頭前野《ぜんとうぜんや》」もここにある。前頭前《ぜんとうぜん》

野《や》は、脳《のう》のなかでも最《もっと》も大切《たいせつ》な部分《ぶぶん》であると考《かんが》えられていて、考《かんが》えたり、創造《そうぞう》したりするときは、この部分《ぶぶん》が働《はたら》いている。さらに、社会的《しゃかいてき》な行動《こうどう》や論理的《ろんりてき》な判断《はんだん》など、「人間《にんげん》らしさ」をコントロールしているのもここなんだ。

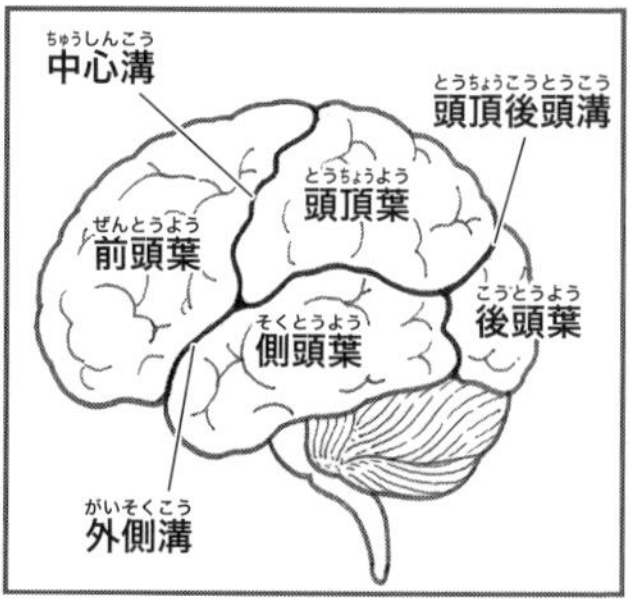

31ページで紹介《しょうかい》したフィニアス・ゲージは、頭《あたま》に鉄《てつ》の棒《ぼう》が刺《さ》さり、前頭葉《ぜんとうよう》の多《おお》くの部分《ぶぶん》を損傷《そんしょう》し、自分《じぶん》の心《こころ》を制御《せいぎょ》できなくなってしまった。この症例《しょうれい》をきっかけに、前頭葉《ぜんとうよう》の働《はたら》きが注目《ちゅうもく》されるようになったんだ。

●側頭葉《そくとうよう》

耳《みみ》で聞《き》いた言葉《ことば》、音《おと》などの情報《じょうほう》を処理《しょり》する「聴覚野《ちょうかくや》」、言葉《ことば》を聞《き》いたり読《よ》んだりするときに働《はたら》く「ウェルニッケ野《や》」などがある。また、記憶《きおく》や、においを感《かん》じる「嗅覚《きゅうかく》」、味《あじ》を感《かん》じる「味覚《みかく》」に関《かか》わる領域《りょういき》でもあるよ。

●頭頂葉《とうちょうよう》

皮膚《ひふ》や関節《かんせつ》、骨格筋《こっかくきん》など、全身《ぜんしん》から受《う》け取《と》ったさまざまな感覚情報《かんかくじょうほう》を処理《しょり》する「一次体性感覚野《いちじたいせいかんかくや》」や、感覚情報《かんかくじょうほう》のなかでも特《とく》に複雑《ふくざつ》なものについて整理《せいり》をしたり、分析《ぶんせき》をしたりする「体性感覚連合野《たいせいかんかくれんごうや》」などがある。

また、空間的《くうかんてき》な位置関係《いちかんけい》を把握《はあく》する働《はたら》きをもつ「頭頂《とうちょう》連合野《れんごうや》」もここにあるよ。

●後頭葉《こうとうよう》

4つの脳葉《のうよう》のなかで、最《もっと》も小《ちい》さい領域《りょういき》。「一次視覚野《いちじしかくや》」や「視覚連合野《しかくれんごうや》」などがあり、目《め》で見《み》た情報《じょうほう》を処理《しょり》する「視《し》覚《かく》」や、色彩《しきさい》を認識《にんしき》するための役割《やくわり》を担《にな》っているよ。

運動《うんどう》と体《からだ》を使《つか》った学習《がくしゅう》をサポートする「小脳《しょうのう》」の働《はたら》き

「小脳《しょうのう》」は、大脳《だいのう》の後《うし》ろ下《した》に位置《いち》していて、重《おも》さは大脳《だいのう》の10％ほどで、サイズも小《ちい》さい。大脳《だいのう》よりも細《こま》かい間隔《かんかく》でしわが入《はい》っていて、神経細胞《しんけいさいぼう》は約《やく》８００億個《おくこ》もある。大《だい》脳《のう》の神経細胞《しんけいさいぼう》は百十数億個《ひゃくじゅうすうおくこ》だから、神経細胞《しんけいさいぼう》の数《かず》は、小《しょう》脳《のう》の方《ほう》が多《おお》いんだ。

小脳《しょうのう》には、大《おお》きな役割《やくわり》が2つある。まずひとつは、体《からだ》の平衡《へいこう》や姿勢《しせい》を保《たも》つために、全身《ぜんしん》の筋力《きんりょく》のバランスを調整《ちょうせい》すること。またもうひとつ、体《からだ》が大脳《だいのう》の指示《しじ》に沿《そ》ってきちんと動《うご》いているかをチェックするという役割《やくわり》もあるよ。

さらに小脳《しょうのう》は、体《からだ》を使《つか》って動作《どうさ》を覚《おぼ》えるときにも大《おお》きな役割《やくわり》をはたしている。みんなも、サッカーのリフティングやバスケットボールのシュートなど、スポーツの技《わざ》を上達《じょうたつ》させるために、何度《なんど》も練習《れんしゅう》をくり返《かえ》したこと、あるんじゃないかな。こうした運動《うんどう》は、何度《なんど》もくり返《かえ》すことで、自然《しぜん》に体《からだ》が覚《おぼ》えていくもの。このような体《からだ》を使《つか》った学習《がくしゅう》ができるのは、小脳《しょうのう》の働《はたら》きによるものなんだ。

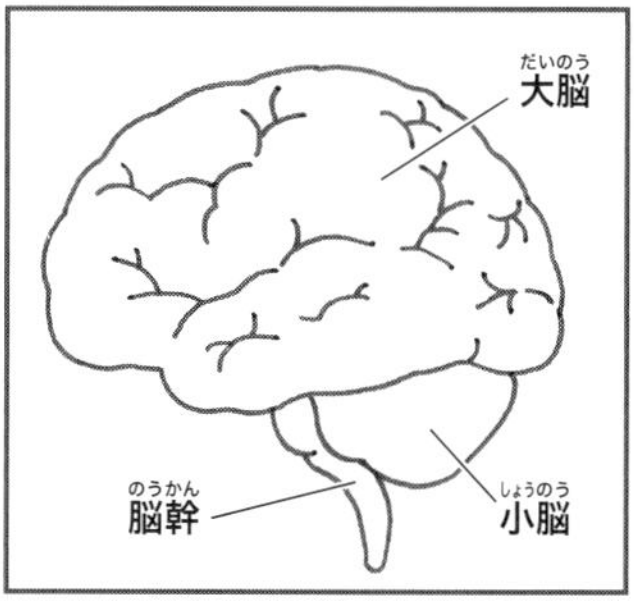

無意識《むいしき》の生命活動《せいめいかつどう》を支《ささ》える「脳幹《のうかん》」

「脳幹《のうかん》」は、大脳《だいのう》の下《した》にあり、脊髄《せきずい》につながった太《ふと》い柱《はしら》のような組織《そしき》だ。間脳《かんのう》、中脳《ちゅうのう》、橋《きょう》、延髄《えんずい》などが含《ふく》まれている。

脳幹《のうかん》の役割《やくわり》は、呼吸《こきゅう》や代謝《たいしゃ》、体温調整《たいおんちょうせい》、睡眠《すいみん》などの生命活動《せいめいかつどう》を支《ささ》えること。呼吸《こきゅう》するときは、わざわざ「息《いき》を吸《す》おう・はこう」と思《おも》わなくても、体《からだ》が自動的《じどうてき》に行《おこな》ってくれるよね。大脳《だいのう》が意識的《いしきてき》な活動《かつどう》を支《ささ》えるのとは反対《はんたい》に、脳幹《のうかん》は、こうした私《わたし》たちが無意識《むいしき》にしている活動《かつどう》を支《ささ》えているんだ。生命活動《せいめいかつどう》に欠《か》かせない組織《そしき》であることから、「命《いのち》の座《ざ》」と呼《よ》ばれることもあるんだ。

また、脳幹《のうかん》は、脳《のう》と全身《ぜんしん》をつないでいる部分《ぶぶん》でもあり、神経《しんけい》の通《とお》り道《みち》としても機能《きのう》しているよ。

一口《ひとくち》コラム

心《こころ》の病《やまい》を外科《げか》手術《しゅじゅつ》で治療《ちりょう》するロボトミー手術《しゅじゅつ》って？

脳《のう》と心《こころ》の関係《かんけい》は、脳研究《のうけんきゅう》の長《なが》い歴史《れきし》のなかで、徐々《じょじょ》にわかってきたことだ。昔《むかし》、今《いま》ほど研究《けんきゅう》が進《すす》んでいなかった時代《じだい》には、まちがった治療法《ちりょうほう》が行《おこな》われることもあった。その代表《だいひょう》が、1936年《ねん》ごろから行《おこな》われていた「ロボトミー」と呼《よ》ばれる外科手術《げかしゅじゅつ》だ。

ロボトミーは、大脳《だいのう》の神経回路《しんけいかいろ》を物理的《ぶつりてき》に切《き》り離《はな》す外科手術《げかしゅじゅつ》で、当時《とうじ》、ほかに効果《こうか》のある治療法《ちりょうほう》が見《み》つかっていなかった心《こころ》の病《やまい》を治《なお》すために行《おこな》われた。この手術《しゅじゅつ》を行《おこな》った人《ひと》は、一部《いちぶ》の症状《しょうじょう》に改善《かいぜん》が見《み》られる場合《ばあい》があったものの、感情《かんじょう》や意欲《いよく》、集中力《しゅうちゅうりょく》をなくしてしまうなど、副作用《ふくさよう》の方《ほう》がひどく現《あらわ》れる場合《ばあい》が多《おお》かったんだって。手術《しゅじゅつ》によって人格《じんかく》がまるっきり変《か》わったり、植物状態《しょくぶつじょうたい》になったりすることもあったというから、恐《おそ》ろしいね。

現在《げんざい》は、心《こころ》の病《やまい》に効果《こうか》のある薬《くすり》が見《み》つかっていて、病気《びょうき》に対《たい》するきちんとした治療法《ちりょうほう》も確立《かくりつ》されている。今《いま》はもうロボトミー手術《しゅじゅつ》が行《おこな》われることはないよ。

脳科学《のうかがく》でわかる心《こころ》の様子《ようす》

脳《のう》を研究《けんきゅう》すると心《こころ》の動《うご》きのしくみがわかる

ここまで紹介《しょうかい》してきたような、脳《のう》のなかがどうなっているのかや、脳《のう》がどのように働《はたら》いているのかを研究《けんきゅう》するのが、「脳科学《のうかがく》」という学問分野《がくもんぶんや》だ。脳《のう》を研究《けんきゅう》すると、脳《のう》そのもののしくみだけでなく、私《わたし》たちの心《こころ》の動《うご》きが、どうやって脳《のう》に関係《かんけい》しているのかということがわかる。もちろん、心《こころ》の不調《ふちょう》や病気《びょうき》の原因解明《げんいんかいめい》や予防《よぼう》、治療《ちりょう》などにも役立《やくだ》つんだ。ここからは、脳研究《のうけんきゅう》でわかった心《こころ》のしくみを紹介《しょうかい》していくよ。

「好《す》き」「嫌《きら》い」はどこで判断《はんだん》される?

心《こころ》の働《はたら》きの代表的《だいひょうてき》なものに、好《す》き、嫌《きら》い、こわい、楽《たの》しい、憎《にく》しみ、怒《いか》りなどの「感情《かんじょう》」がある。こうした感情《かんじょう》も、脳《のう》で生《う》み出《だ》されるものだ。

感情《かんじょう》がつくられるのは、脳《のう》の表面《ひょうめん》をおおう大脳皮質《だいのうひしつ》の内側《うちがわ》にある「大脳辺縁系《だいのうへんえんけい》」という領域《りょういき》。そのなかの「扁《へん》桃体《とうたい》」と呼《よ》ばれる部分《ぶぶん》に、脳《のう》のさまざまな場《ば》所《しょ》から過去《かこ》の記憶《きおく》や視《し》覚《かく》、聴覚《ちょうかく》、嗅覚《きゅうかく》の情報《じょうほう》などが集《あつ》められ、私《わたし》たちの感情《かんじょう》の源《みなもと》になる「快《かい》」や「不快《ふかい》」、「こわい」「こわくない」などの原始的《げんしてき》な心《こころ》の動《うご》きを判断《はんだん》している。みんなにも、理由《りゆう》はわからないけれど、直感的《ちょっかんてき》に好《す》きなもの、嫌《きら》いなもの、こわいと思《おも》うものがあるだろう。扁桃体《へんとうたい》は、そうした本能的《ほんのうてき》な感情《かんじょう》を生《う》み出《だ》しているよ。

▲「暗闇《くらやみ》がこわい」などの本能的《ほんのうてき》な感《かん》情《じょう》は、扁桃体《へんとうたい》で判断《はんだん》される。

人《ひと》が悲《かな》しんでいるのを見《み》ると自分《じぶん》も悲《かな》しくなるのはなぜ?

みんなは、友《とも》だちが泣《な》いているのを見《み》て、もらい泣《な》きをしてしまった経験《けいけん》はない? 友《とも》だちの笑顔《えがお》を見《み》て、つられて笑《わら》ってしまった経験《けいけん》もあるかもしれないね。自分《じぶん》

が悲《かな》しいと思《おも》ったり、楽《たの》しいと思《おも》ったりしたわけではないのに、どうしてつられてしまうんだろう。

これは、脳《のう》にある「ミラーニューロン」という神経細胞《しんけいさいぼう》の働《はたら》きであることがわかっている。ミラーニューロンとは、ほかの人《ひと》のしぐさを見《み》たときにも同《おな》じような反応《はんのう》をする神経細胞《しんけいさいぼう》のこと。

例《たと》えば、相手《あいて》の悲《かな》しい顔《かお》を見《み》たとき、ミラーニューロンは、自分《じぶん》が悲《かな》しい顔《かお》をしたときと同《おな》じ信号《しんごう》を脳内《のうない》に流《なが》す。そうすることで、相手《あいて》と同《おな》じ体験《たいけん》を自分《じぶん》も経験《けいけん》したような気持《きも》ちになり、その人《ひと》がどう感《かん》じたのか、自分《じぶん》なりに理解《りかい》できるようになるんだ。

▲もらい泣《な》きは、ミラーニューロンが働《はたら》くことで起《お》こる。

うれしいから笑顔《えがお》になる？ 笑顔《えがお》をつくったからうれしくなる？

みんなは、うれしい、悲《かな》しい、楽《たの》しい、つらいなどの感《かん》情《じょう》をどうやって表現《ひょうげん》する？ まずは無意識《むいしき》のうちに、笑《え》顔《がお》や泣《な》き顔《がお》、苦《にが》い顔《かお》などの「表情《ひょうじょう》」に表《あらわ》れていることが多《おお》いんじゃないかな。では、感情《かんじょう》と表情《ひょうじょう》はどう関係《かんけい》しているのだろう？ 一般的《いっぱんてき》には、楽《たの》しいから笑顔《えがお》になるし、つらいから苦《にが》い顔《かお》になるというように、「感情《かんじょう》が表情《ひょうじょう》をつくる」と考《かんが》えられている。けれど脳研究《のうけんきゅう》では、反対《はんたい》に、「表情《ひょうじょう》が感情《かんじょう》をつくる」場合《ばあい》もあることがわかっているんだ。

ある実験《じっけん》を紹介《しょうかい》しよう。ドイツのミュンテ博士《はかせ》という人《ひと》が、箸《はし》を横《よこ》にかんだ人《ひと》と縦《たて》にくわえた人《ひと》の脳《のう》の活動《かつどう》を比《くら》べる実験《じっけん》を行《おこな》った。きみが、箸《はし》を横《よこ》にかんだところを想像《そうぞう》してみて。笑顔《えがお》に似《に》た表情《ひょうじょう》になっているよね。実験《じっけん》で、この笑顔《えがお》に似《に》た表情《ひょうじょう》をつくった人《ひと》の脳《のう》では、神経伝《しんけいでん》達物質《たつぶっしつ》のうち、精神活動《せいしんかつどう》を活発《かっぱつ》にして快感《かいかん》を与《あた》える、ドーパミン神経系《しんけいけい》が活発《かっぱつ》に働《はたら》くようになっていた。つまり、強制的《きょうせいてき》に笑顔《えがお》をつくった場合《ばあい》でも、楽《たの》しい気持《きも》ちになるということがわかったんだ。

きみも、ためしに笑顔《えがお》をつくってみよう。もしかすると、ちょっと楽《たの》しい気持《きも》ちになるかもしれないよ。

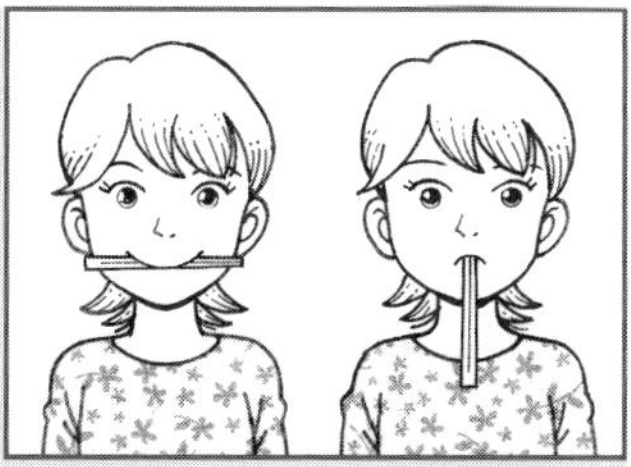

▲笑顔《えがお》に似《に》た表情《ひょうじょう》をつくるだけでも、楽《たの》しい気持《きも》ちになることがある。

ムードもりあげ楽団《がくだん》登場《とうじょう》！

ケーキがやけたわ。
びっくりするほどおいしいわよ。
バターとたまごをたっぷりつかったのよ。
ほう。
おいしい？それともまずい？
うん。
どっちなのよっ。
うんうん。
はりあいのない子《こ》！
？

ふうん、ぼくはケーキを食《た》べたの？
せっかくママがつくったのに悪《わる》いよ。もっとおおげさによろこんであげなきゃ。
それほどたいしたことでもないだろう。
さあ、そこが問題《もんだい》だと思《おも》うんだ。
だいたいきみはいつもつまんなそうな顔《かお》をしてる。
そりゃしかたがないよ、
ほんとにつまんないんだもの。
人間《にんげん》はね、感情《かんじょう》の動物《どうぶつ》といわれてるんだ。
うれしいときはとびあがってよろこび、悲《かな》しければワアワア泣《な》く。
もっと気《き》もちをいきいきとあらわせよ。
そういわれてもな……、つまんなそうな顔《かお》は生《う》まれつきだもんな。
音楽《おんがく》の力《ちから》でもかりるか。
「ムードもりあげ楽団《がくだん》」

心《こころ》の不《ふ》思《し》議《ぎ》Q《キュー》&《アンド》A《エー》

Q 「●怒《ど》哀《あい》楽《らく》」「●色《しょく》満《まん》面《めん》」「一《いっ》●一《いち》憂《ゆう》」「悲《ひ》●交《こも》々《ごも》」●に共《きょう》通《つう》して入《はい》る漢《かん》字《じ》は？

①笑《しょう》 ②泣《きゅう》 ③喜《き》

A

③喜《き》　どれも感情《かんじょう》にまつわる四字熟語《よじじゅくご》だよ。それぞれ意味《いみ》を調《しら》べてみよう。

これからきみについて歩《ある》いて、さまざまな場面《ばめん》にあった音楽《おんがく》をえんそうするんだ。
するとどうなる？
音楽《おんがく》の力《ちから》は強《つよ》いよ。テレビを見《み》ててもわかるだろ。
ロマンチックな場面《ばめん》では、しずかなあまいメロディー。
こわい場面《ばめん》では、きみの悪《わる》い曲《きょく》。
クライマックスにはいさましい音楽《おんがく》で、
ムードをもりあげている。
どんなぐあいかやってみよう。
さっきのケーキの味《あじ》を思《おも》いだしてごらん。
めんどくさいな。
そうね……、
いつもよりは、うまかったみたいだな。
そら！すかさずきみの気分《きぶん》にあわせて楽《たの》しい曲《きょく》をはじめた。
なんだかすごくうまかったような気《き》がしてきた。

心《こころ》の不思議《ふしぎ》Q&A《キューアンドエー》

Q 幸《しあわ》せな気分《きぶん》のときほど、正《ただ》しい判断《はんだん》ができる。本当《ほんとう》？　ウソ？

うん、たしかにうまかった!!
ジャ
思《おも》い出《だ》してもワクワクする。
ジャカ
あんなケーキを食《た》べられるなんて、ぼくはしあわせだなあ。
もりあがってきたぞ。
うれしくてうれしくて、もうじっとしていられない。
なによ、いまごろ。
い、いや、ぼくはいわずにいられない！
チャカ
ラッチャ
チャン
チャーン
チキチ
チャーン
こんどもっとおいしいの、つくるわね。
ジャ
ジャジャ
ジャーン
いやあ、なかなか感動的《かんどうてき》でよかった。
すごいね、音楽《おんがく》の力《ちから》って。

A ウソ　幸《しあわ》せな気分《きぶん》のときほど、表面的《ひょうめんてき》な印象《いんしょう》のみを信《しん》じてしまい、慎重《しんちょう》な判断《はんだん》が難《むずか》しくなるという実験結果《じっけんけっか》があるよ。

ラッタ ラッタ
やあ のび太《た》、今日《きょう》はたくさんつれたぞ。
ピチピチ
どうだ、大《おお》きいだろ。
それ、どうするの？
そうだな、塩焼《しおや》きにするか、フライがいいか……。
なんだなんだ、この悲《かな》しそうな音楽《おんがく》は……。
パパにつられさえしなければ、自由《じゆう》に楽《たの》しく泳《およ》いでいられたのに……。
まもなく切《き》られてさされて……、火《ひ》にあぶられて……。
かわいそう。
川《かわ》へかえしてくる。
ハッ
ピタ
ちょっとオーバーだったんじゃない？
悲《かな》しい曲《きょく》ってのはいやだね。

心《こころ》の不思議《ふしぎ》Q&A《キューアンドエー》

Q 涙《なみだ》の成分《せいぶん》でいちばん多《おお》いのは？

①水分《すいぶん》 ②ナトリウム ③タンパク質《しつ》

A ①水分《すいぶん》 涙《なみだ》は、98%が水分《すいぶん》でできていて、残《のこ》りの2%にナトリウムやタンパク質《しつ》などが含《ふく》まれているよ。

テンポがかわったぞ。
こんなときスリルなんかもりあげなくていい。
ジャンジャンジャン♪
ジャカジャカジャカ
かくれたってむだだぞ!
おそろしいことになったなあ。
デロデロ
デロデロ
やめろ。そんなこわい曲《きょく》。
デロ
デロ
ドキー
ワ〜ッ
なんだしずちゃんか。
ああびっくりした。
びっくりしたのはこっちよ。
ふうん、ジャイアンさんに追《お》われているの?
もうこわくてこわくて、死《し》にそうだよう。

心《こころ》の不思議《ふしぎ》Q&A《キューアンドエー》

Q 涙《なみだ》を流《なが》すときに流《なが》れ出《で》るといわれるホルモンの名前《なまえ》は?

①エストロゲン ②コルチゾール ③テストステロン

なさけない人《ひと》ねえ。
いつもいじめられてくやしくないの？
そりゃくやしいけど…。
ズズズ
ズンズン
う～～ん、だんだんはらがたってきたぞ。
そうよ！おこるのがあたりまえよ。
ゆるさない。
おっ、なんだと。
わあ、すごいはく力《りょく》。
ころされる、たすけてえ。
どうもきょくたんだなあ。

A ②コルチゾール　ストレスにより分泌《ぶんぴつ》が増《ふ》えるホルモン。泣《な》いてすっきりする理由《りゆう》のひとつは、これが体外《たいがい》に排出《はいしゅつ》されるからなんだ。

ジ〜ンと感動《かんどう》する話《はなし》

なんだのび太《た》くん、まだ帰《かえ》らないのか。
で元気にしよう。

なに、テストで0点《てん》取《と》ったから帰《かえ》らないのか。

0点《てん》取《と》ったのはざんねんなことだが、すぎたことばかりくよくよしたってしかたがないだろう。

目《め》が前《まえ》むきについてるのは、なぜだと思《おも》う？

前《まえ》へ前《まえ》へと進《すす》むためだ！

ふり返《かえ》らないで、
つねにあすをめざしてがんばりなさい。

はいっ、わかりました！

じいん
目《め》はなぜ前《まえ》についているか。

いいことばだな、ジーンときた。

そうだ、ぼくもだれかにいってやろ。

忘《わす》れないうちに。

ジーンとさせてやろう。

おうい。

すっごくいい話《はなし》聞《き》かせよう。ジーンと感動《かんどう》する話《はなし》。

えっ、どんなの。

目《め》が前《まえ》についてるのはなぜでしょう。

きまってるわ うしろについてたら、髪《かみ》の毛《け》がじゃまだもの。

ばかみたい。

いや、そんなくだらない意味《いみ》でなく……。
チェッ、ぜんぜん聞《き》く気《き》がないや。
目《め》が前《まえ》についてるのは、なぜだ。
塾《じゅく》へ行《い》くんだよ。
なぞなぞなんかやってるひまはないいっ。
テストの答案《とうあん》を見《み》せる前《まえ》に話《はなし》があります。
なぜ目《め》が前《まえ》についてるかというと……。
答案《とうあん》を見《み》るためです。早《はや》く出《だ》しなさいっ！
すぎたことふり返《かえ》るより、あすをめざして……。
なんです、へりくつばっかり！

心《こころ》の不思議《ふしぎ》Q&A《キューアンドエー》

Q 「やる気《き》」が生《う》み出《だ》される脳《のう》の部位《ぶい》はどこ？

①海馬《かいば》 ②扁桃体《へんとうたい》 ③側坐核《そくざかく》

なにをぷりぷりしてるんだ。
だれもまじめに聞《き》こうとしない。
ぼくのことばかにしてるからだ。
ふうん、せっかくいいこと聞《き》いたのに?
だれも聞《き》いてくれないって。
きみがおこるの、もっともだ。
そんな感動的《かんどうてき》なことばなら、ぼくに聞《き》かせてよ。
えっ、聞《き》いてくれる!?
あのね、目《め》が前《まえ》についてるのは前《まえ》に進《すす》むためなんだよ。
どう?感動《かんどう》したかい?
?
?
?
しないみたいだな。
どうせぼくのいうことなんか……。
そう、やけになるなよ。

A ③側坐核《そくざかく》　側坐核《そくざかく》は、体《からだ》や感情《かんじょう》の動《うご》きを感《かん》じとったときに働《はたら》き出《だ》し、やる気《き》を起《お》こさせる。じっとしているときは、働《はたら》かないんだ。

そんなに人《ひと》を感動《かんどう》させたければ……、
「ジーンマイク」
これを使《つか》うと、感動周波《かんどうしゅうは》音波《おんぱ》が出《で》て、聞《き》く人《ひと》の脳《のう》をゆさぶってジーンとさせる。
ほんとかなあ。
じじじ
じいん
き、きみ！いまなんていった？
ほんとかなあって。
な、なんという感動的《かんどうてき》なことば！
ジ〜ンときた。

心《こころ》の不《ふ》思《し》議《ぎ》Q&A《キューアンドエー》

Q 顔《かお》の筋肉《きんにく》のうち、意識《いしき》して動《うご》かすことが難《むずか》しい部分《ぶぶん》は？

①目《め》のまわり ②口《くち》のまわり ③ほおのまわり

A ①目《め》のまわり　目《め》のまわりの筋肉《きんにく》は、意識《いしき》して動《うご》かすことが難《むずか》しい。つくり笑《わら》いを「目《め》が笑《わら》っていない」などと表現《ひょうげん》するのはそのためだよ。

ひとことしゃべるごとにこれじゃ、やりにくい。
ポケットに入《い》れとこう。
いた!
なに?感動的《かんどうてき》な話《はなし》?
おまえが?
くびをかけてもいい!
おもしれえ。
さあ!
感動《かんどう》させてもらおうじゃん。
もっとおおぜいまとめてね。
なにがあるの。
さあ、早《はや》くやれ。
よかろう。

心《こころ》の不思議《ふしぎ》Q&A《キューアンドエー》

Q 「怒《いか》り」をコントロールするスキルを何《なん》と呼《よ》ぶ?

①アンガーマネジメント ②スマイルメソッド ③ストレスアウト

A ①アンガーマネジメント 「怒《いか》り」のコントロールは、実《じつ》は大人《おとな》でも難《むずか》しい。大人向《おとなむ》けのアンガーマネジメント講座《こうざ》も多《おお》く行《おこな》われているよ。

ドドドド
なんだ なんだ。
感動《かんどう》させてもらいたくないのか。
公園《こうえん》でロケをやってるんだ。
西条《さいじょう》ひろみが来《き》てる。
えっ、あの人気《にんき》歌手《かしゅ》の。
キャー ひろみぃ、こっちむいてえ。
サインしてえ。

心《こころ》の不思議《ふしぎ》Q&A《キューアンドエー》

Q 気持《きも》ちを落《お》ち着《つ》けたいときに有効《ゆうこう》な呼吸法《こきゅうほう》は？

①胸式呼吸《きょうしきこきゅう》

②腹式呼吸《ふくしきこきゅう》

③鼻呼吸《はなこきゅう》

A ②腹式呼吸《ふくしきこきゅう》　お腹《なか》をふくらませ、横隔膜《おうかくまく》を上下《じょうげ》させて行《おこな》う呼吸法《こきゅうほう》。胸式呼吸《きょうしきこきゅう》よりも、リラックス効果《こうか》が高《たか》いといわれているよ。

すごい人気《にんき》だね。
みんなにさわがれるって、いい気持《きも》ちだろうな。
じゃあね、ひろみくん。
歌《うた》いながら歩《ある》いてちょうだい。
オッケー。
ふたりの午後《ごご》に、
海《うみ》を見《み》たいといったとき。
すてきい。
しびれちゃう。
キャー
キャー
キャー
ね！ね！のびちゃん、なんて感動的《かんどうてき》な歌《うた》かしら。
心《こころ》の底《そこ》からジーンとなるわ。ウキーッ。
なんだろうね、このさわぎ。
ちょっとばかし声《こえ》がよくて、歌《うた》がうまいだけじゃないか。
そうだ！
ぼくが今《いま》ここで、ジーンマイクを使《つか》って歌《うた》えば……。
あれ、
取《と》れない、
どっかへひっかかったかな。
プウ〜

じじじいん
おおっ、なんという感動的《かんどうてき》なおなら！
よしてくれ、はずかしい。
じいん
じいん

心《こころ》には形《かたち》（＝感情《かんじょう》）がある

自分《じぶん》の心《こころ》の形《かたち》について考《かんが》えてみよう

突然《とつぜん》だけど、今《いま》、きみはどんな気持《きも》ちでいるかな？ この本《ほん》を読《よ》んでわくわくしている？ もしかして、横《よこ》にやりかけの宿題《しゅくだい》があって、めんどくさいなあと思《おも》っている？ それとも、おうちの人《ひと》にしかられたばかりで、悲《かな》しい気持《きも》ちかな？ 毎日《まいにち》、普通《ふつう》に生活《せいかつ》していると、あまり気《き》にすることはないかもしれないけれど、私《わたし》たちの心《こころ》は、こんなふうに、いろいろな気持《きも》ちを感《かん》じることができるよね。つまり心《こころ》は、いつも同《おな》じ形《かたち》ではなくて、いろいろな形《かたち》に変化《へんか》しているんだ。こうした、楽《たの》しい、不安《ふあん》などの心《こころ》の形《かたち》のことを、「感情《かんじょう》」というよ。

心《こころ》の形《かたち》には、ものすごくたくさんの種類《しゅるい》があって、どんなときにその感情《かんじょう》が出《で》てくるのかも、それぞれちがう。でも、今《いま》、自分《じぶん》の心《こころ》がどういう形《かたち》をしているのかを知《し》ることは、とても大事《だいじ》なことなんだ。

▲私《わたし》たち人間《にんげん》は、多《おお》くの種類《しゅるい》の心《こころ》の形《かたち》（＝感情《かんじょう》）をもっている。

心《こころ》の形《かたち》を知《し》るとたくさんいいことがある

心《こころ》の形《かたち》を知《し》ることは、どうして大切《たいせつ》なんだろう。

理由《りゆう》のひとつは、自分《じぶん》の感情《かんじょう》を人《ひと》に伝《つた》えることができるようになるから。みんなにも、自分《じぶん》の感情《かんじょう》を人《ひと》に話《はな》して、わかってもらって、すっきりしたり、なぐさめられたりした経験《けいけん》、あるんじゃないかな。自分《じぶん》が今《いま》、どんな感情《かんじょう》でいるのかがわからなければ、それを人《ひと》に伝《つた》えることはできないよね。また、たくさんの心《こころ》の形《かたち》があることを知《し》ることは、ほかの人《ひと》の気持《きも》ちを思《おも》いやるときの手助《てだす》けにもなる。相手《あいて》の気持《きも》ちを想像《そうぞう》したり、共感《きょうかん》したりすることができるようになるんだ。

もうひとつ、自分《じぶん》の感情《かんじょう》がわかるようになれば、自分《じぶん》をなぐさめたり、はげましたりすることができるようにもなる。本当《ほんとう》は「悲《かな》しい」のに、「楽《たの》しい」と思《おも》い込《こ》んでいたら、自分《じぶん》をなぐさめることもできないよね。「今《いま》、自分《じぶん》はどんな感情《かんじょう》なのかな？」と考《かんが》えてみることは、心《こころ》と仲《なか》良《よ》くなるための第一歩《だいいっぽ》になるよ。

プラスの感情《かんじょう》もマイナスの感情《かんじょう》も どちらも大切《たいせつ》にしよう

次《つぎ》のページから紹介《しょうかい》していくように、心《こころ》の形《かたち》には、一《いっ》般的《ぱんてき》に、うれしい、楽《たの》しい、いい気分《きぶん》などの「心地《ここち》よい感《かん》情《じょう》」と、悲《かな》しい、怒《いか》り、こわいなどの「心地《ここち》よくない感情《かんじょう》」がある。悲《かな》しかったり、こわかったりするのは、だれだって嫌《いや》だよね。だから、楽《たの》しいなどの心地《ここち》よい感情《かんじょう》がずっと続《つづ》けばいいのにと思《おも》ったり、心地《ここち》よくない感情《かんじょう》は、なくなってしまえばいいのにと思《おも》ったりすることがあるかもしれない。

でも、ちょっと考《かんが》えてみて。例《たと》えば、「こわい」という感情《かんじょう》がなくなったら、どうなるかな。こわくなくなれば不安《ふあん》もなくなり、強《つよ》くなったように感《かん》じるかもしれない。けれど、こわいという感情《かんじょう》は、私《わたし》たちが安全《あんぜん》にくらすためにも役立《やくだ》っているんだ。こわさを感《かん》じなければ、積極《せっきょく》的《てき》に危険《きけん》なものや動物《どうぶつ》に近《ちか》づいたり、危《あぶ》ない場所《ばしょ》に行《い》ったりするようになるかもしれない。すると、事故《じこ》にあったり、けがをしたりする可能性《かのうせい》が増《ふ》えてしまうよね。

また、逆上《さかあ》がりができなくて「くやしい」思《おも》いをした分《ぶん》だけ、できたときの「うれしい」気持《きも》ちが増《ま》すというように、心地《ここち》よい感情《かんじょう》と心地《ここち》よくない感情《かんじょう》は、深《ふか》い部分《ぶぶん》でつながっていることも多《おお》い。ひとつの感情《かんじょう》をなくすと、別《べつ》の感情《かんじょう》がなくなってしまうこともあるんだ。

だから、どんな感情《かんじょう》でも、なくなると、困《こま》ったことになってしまう。わくわくもハラハラもしない毎日《まいにち》なんて、考《かんが》えただけでも退屈《たいくつ》だよね。大事《だいじ》なのは、感《かん》情《じょう》をなくすことではなくて、感情《かんじょう》との上《じょう》手《ず》なつきあい方《かた》を身《み》につけることなんだ。

▲感情《かんじょう》は、人間《にんげん》が生《い》きぬいていくために必要《ひつよう》だったからつくられた心《こころ》の働《はたら》きだといわれているよ。

人《ひと》にとって心地《ここち》よい、プラスの心《こころ》の形《かたち》

脳《のう》が心地《ここち》よいと感《かん》じる心《こころ》の形《かたち》

ここからは、心《こころ》の形《かたち》の種類《しゅるい》を紹介《しょうかい》していくよ。まずは、プラスの感情《かんじょう》にどんなものがあるのか見《み》ていこう。

うきうき、わくわくする「楽《たの》しい」の心《こころ》の形《かたち》

「楽《たの》しい」の心《こころ》の形《かたち》は、友《とも》だちと遊《あそ》んでいるときや、おもしろいものを見《み》て笑《わら》っているときなどに出《で》てくる。自分《じぶん》が「好《す》き」や「心地《ここち》よい」と思《おも》ったものやことに対《たい》する感情《かんじょう》だから、人《ひと》によって出《で》てくるタイミングがちがうんだ。

楽《たの》しいことは、集中《しゅうちゅう》してできるし、ずっと続《つづ》けることもできるから、「好《す》きなことは上達《じょうたつ》しやすい」という意味《いみ》の「好《す》きこそものの上手《じょうず》なれ」ということわざもあるほどだよ。

▲うまくなりたいことには、楽《たの》しむ心《こころ》をもって取《と》り組《く》むと、上達《じょうたつ》しやすいよ。

ただし、楽《たの》しい心《こころ》には、よくない面《めん》もある。あまりに楽《たの》しい心《こころ》が続《つづ》いたり、大《おお》きくなりすぎたりすると、楽《たの》しい心《こころ》を生《う》み出《だ》す行動《こうどう》をやめられなくなってしまうことがあるんだ。これを「依存症《いぞんしょう》」と呼《よ》ぶよ。楽《たの》しいことは、やめるタイミングを見極《みきわ》めることも必要《ひつよう》なんだね。

るんるんと胸《むね》がおどる「うれしい」の心《こころ》の形《かたち》

「うれしい」の心《こころ》の形《かたち》は、こうなりたい、こうなったらいいなと思《おも》ったことがかなったときに出《で》てくる満足《まんぞく》の感情《かんじょう》だ。おうちの人《ひと》や先生《せんせい》にほめられたときや、目標《もくひょう》を達成《たっせい》したとき、プレゼントをもらったときなどに出《で》てくるよね。

うれしい心《こころ》は、努力《どりょく》の原動力《げんどうりょく》になる。勉強《べんきょう》でもスポーツでも、うまくなったらうれしくて、もっとうまくなりたいと思《おも》うよね。うれしい感情《かんじょう》は、人《ひと》からほめられたときだけじゃなくて、自分《じぶん》でつくることもできるのがいいところ。小《ちい》さい目標《もくひょう》をつくって達成《たっせい》したり、自分《じぶん》で自分《じぶん》

をほめたりすると、うれしい心《こころ》が育《そだ》っていくよ。

好《す》きや心地《ここち》よさが生《う》み出《だ》す「いい気分《きぶん》」の心《こころ》の形《かたち》

「いい気分《きぶん》」は、おいしいものを食《た》べたときやお風呂《ふろ》につかっているときなどに出《で》てくる。いい気分《きぶん》をつくり出《だ》すものや場面《ばめん》は人《ひと》によってちがって、好《す》きなものに囲《かこ》まれたり、好《す》きなことをしたりしているときに出《で》てくることが多《おお》い。自分《じぶん》がどんなときにいい気分《きぶん》になるのか知《し》っておくと、泣《な》いてしまったときやイライラしたときに、自分《じぶん》で自分《じぶん》を元気《げんき》にすることができるよ。いつもいい気《き》分《ぶん》でいられたらいいけれど、ときには、この感情《かんじょう》をおさえなきゃいけないときがある。宿題《しゅくだい》や部屋《へや》の片《かた》づけは、やっている最中《さいちゅう》に自《じ》分《ぶん》をいい気分《きぶん》にはしてくれないかもしれないけれど、みんなが成長《せいちょう》するために大切《たいせつ》なこと。やるべきことには、がまんして取《と》り組《く》むことも大事《だいじ》だよ。

▲「いい気分《きぶん》」になる方法《ほうほう》を知《し》っておくと、自分《じぶん》を元気《げんき》にするのに役立《やくだ》つよ。

一口《ひとくち》コラム 「恥《は》ずかしい」の心《こころ》の形《かたち》の扱《あつか》い方《かた》

みんなの前《まえ》で失敗《しっぱい》したときや、先生《せんせい》に怒《おこ》られたときなどに出《で》てくる「恥《は》ずかしい」の心《こころ》の形《かたち》。自分《じぶん》の欠点《けってん》や失敗《しっぱい》を、だれかに見《み》られたり、知《し》られたりしたときに出《で》てくることが多《おお》いよ。恥《は》ずかしい感《かん》情《じょう》が出《で》てくると、顔《かお》が赤《あか》くなったり、どこかに隠《かく》れてしまいたい気持《きも》ちになったりする。楽《たの》しい気分《きぶん》ではないけれど、次《つぎ》は失敗《しっぱい》しないように、もっと頑張《がんば》ろうと思《おも》うきっかけにもなるから、大事《だいじ》な感情《かんじょう》なんだ。

困《こま》ってしまうのは、恥《は》ずかしい心《こころ》が頻《ひん》繁《ぱん》に出《で》てきて、自分《じぶん》に自信《じしん》がもてなくなりそうなとき。すると、「頑張《がんば》ろう」「やってみよう」と思《おも》うこともできなくなってしまうよね。そういうときに効果《こうか》があるのは、人《ひと》と比《くら》べないようにすること。だれかと比《くら》べるんじゃなくて、昨日《きのう》の自《じ》分《ぶん》と比《くら》べて「できたこと」を見《み》つけてみよう。そうして自分《じぶん》をほめる習慣《しゅうかん》をつければ、自信《じしん》がつくよ。

▲恥《は》ずかしい失敗《しっぱい》は、後《あと》になって笑《わら》い話《ばなし》になることもあるよ。

心地《ここち》よくない、マイナスの心《こころ》の形《かたち》

心地《ここち》よくない？ 心《こころ》の形《かたち》

ここからは、一般的《いっぱんてき》に心地《ここち》よくないと感《かん》じやすい、マイナスの心《こころ》の形《かたち》を紹介《しょうかい》していこう。マイナスの感情《かんじょう》にも、意外《いがい》といい面《めん》があるかもしれないよ。

ムッとしてカッとする「怒《いか》り」の心《こころ》の形《かたち》

「怒《いか》り」の心《こころ》は、人《ひと》に嫌《いや》なことをされたり、悪口《わるぐち》を言《い》われたりしたときに出《で》てくる感情《かんじょう》だ。怒《いか》りを感《かん》じると、顔《かお》が真《ま》っ赤《か》になったり、体《からだ》が熱《あつ》くなったりすることもある。だれかがまちがったことをしたときや、自分《じぶん》が嫌《いや》なことをされたときには、怒《いか》りを感《かん》じて当《あ》たり前《まえ》。怒《いか》りの心《こころ》そのものは、悪《わる》いものではないんだよ。

ただし、怒《いか》りの心《こころ》に振《ふ》りまわされると、激《はげ》しい行動《こうどう》をしてしまうことが多《おお》いから、ちょっと注意《ちゅうい》が必要《ひつよう》だ。例《たと》えば、怒《いか》りの感情《かんじょう》にまかせて、大声《おおごえ》を出《だ》したり、暴力《ぼうりょく》をふるったりしたらどうなるだろう。自分《じぶん》が怒《おこ》っているからといって、だれかを傷《きず》つけるのはだめだよね。それに、怒《いか》りの心《こころ》は伝染《でんせん》しやすいから、まわりの人《ひと》まで怒《おこ》らせて、ひどいけんかになることも多《おお》いんだ。

だから、怒《いか》りを感《かん》じたときには、冷静《れいせい》になることが大切《たいせつ》だ。カッとしたときは、ゆっくり深呼吸《しんこきゅう》してみよう。1から10まで、数《かず》をかぞえてみるのも効果《こうか》がある。こうやって感情《かんじょう》をそらすと、怒《いか》りの心《こころ》はだんだんと落《お》ち着《つ》いてくるよ。

▲「怒《いか》り」を感《かん》じたときは、深呼吸《しんこきゅう》して、数《かず》をかぞえてみよう。

どきどきして嫌《いや》な予感《よかん》「不安《ふあん》」の心《こころ》の形《かたち》

「不安《ふあん》」の心《こころ》は、いろんな場面《ばめん》にひそんでいる。心配事《しんぱいごと》や悩《なや》みごとがあるときや、自分《じぶん》に自信《じしん》がもてないときに

出《で》てきたり、一人《ひとり》で家《いえ》にいるときや、遠《とお》い未来《みらい》のことを考《かんが》えたときなんかに、なんとなく出《で》てきたりすることもある。不《ふ》安《あん》を放《ほう》っておくと、行動《こうどう》できなくなったり、「恐怖《きょうふ》」でパニックになってしまったりすることもあるから、大《おお》きくなりすぎないようにしておくことが大事《だいじ》なんだ。

不安《ふあん》な心《こころ》の形《かたち》を変《か》えるためには、自分《じぶん》が何《なに》に不安《ふあん》を感《かん》じているのかをわかるようにするといい。不安《ふあん》の原因《げんいん》を考《かんが》えて、紙《かみ》に書《か》いたり、だれかに話《はな》したりしてみよう。その原因《げんいん》になっているものを、できるものから取《と》り除《のぞ》いていくと、不安《ふあん》の感情《かんじょう》が軽《かる》くなることが多《おお》いよ。

▲「できる自分《じぶん》」や「いいことが起《お》こる未来《みらい》」をイメージしてみると、不安《ふあん》が軽《かる》くなることもあるよ。

びくびく、ギャーッ！「こわい」の心《こころ》の形《かたち》

「こわい」の心《こころ》の形《かたち》には、いろいろなレベルがある。こわい心《こころ》の小《ちい》さなものは、「恐《おそ》れ」の心《こころ》と呼《よ》ばれる。恐《おそ》れの心《こころ》は、「失敗《しっぱい》するかも」「嫌《きら》われるかも」「怒《おこ》られるかも」と、行動《こうどう》に自信《じしん》がもてないときなどに出《で》てくる。不安《ふあん》の心《こころ》といっしょに出《で》てくることも多《おお》いんだ。

恐《おそ》れの心《こころ》をもっておくことは、健康《けんこう》や安全《あんぜん》のために役《やく》に立《た》つ。風邪《かぜ》をひかないように暖《あたた》かくしたり、包丁《ほうちょう》を使《つか》うときに手《て》の位置《いち》に注意《ちゅうい》したりするのは、恐《おそ》れの心《こころ》がきちんと働《はたら》いているからだ。

でも、あまりに「恐《おそ》れ」が大《おお》きくなりすぎると、正《ただ》しい行動《こうどう》がとれなくなってしまうこともある。失敗《しっぱい》を気《き》にしすぎたせいで、うまくできるはずのことができなくなってしまったこと、みんなにもない？　ときには、恐《おそ》れの心《こころ》を振《ふ》り払《はら》って行動《こうどう》することも大事《だいじ》なんだ。

また、「こわい」のレベルがさらに上《あ》がると、「恐怖《きょうふ》」の心《こころ》になる。これは、事故《じこ》にあいそうになったときや、災《さい》害《がい》などで身《み》の危険《きけん》を感《かん》じたときに出《で》てくる、命《いのち》を守《まも》るための感情《かんじょう》だよ。

涙《なみだ》がぽろり、しくしく「悲《かな》しい」の心《こころ》の形《かたち》

「悲《かな》しい」の心《こころ》は、ペットが死《し》んでしまったときや、大切《たいせつ》にしていたものをなくしたときに出《で》てくる。信《しん》じていた

友《とも》だちにうそをつかれたときや、楽《たの》しみにしていた約束《やくそく》がだめになったときなんかにも表《あらわ》れる。人《ひと》やもの、期待《きたい》や信頼《しんらい》などを失《うしな》ったときに出《で》てくる感情《かんじょう》だ。

悲《かな》しいときには、がまんは禁物《きんもつ》。悲《かな》しいことを友《とも》だちに話《はな》したり、思《おも》いっきり泣《な》いたりしよう。実《じつ》は、泣《な》くことには、悲《かな》しい心《こころ》をいやす効果《こうか》がある。涙《なみだ》を流《なが》すと、脳《のう》から心《こころ》を落《お》ち着《つ》かせる物質《ぶっしつ》が出《で》てくるんだって。だから、悲《かな》しいときには、がまんしないで、泣《な》いちゃおう。

▲悲《かな》しいことが起《お》きたら、がまんしないで、泣《な》いたり、話《はな》したりしよう。

人間《にんげん》の心《こころ》の形《かたち》はとても複雑《ふくざつ》に変化《へんか》する

ここまで、いろいろな心《こころ》の形《かたち》を紹介《しょうかい》してきたけれど、これはほんの一部《いちぶ》。ほかにも、くやしい、おどろき、やけくそ、あまのじゃく、がっかり、憎《にく》い、あきらめなど、さまざまな感情《かんじょう》がある。

それに、「楽《たの》しいけれど、ちょっぴり悲《かな》しい」「怒《おこ》っているのに、つい笑《わら》ってしまう」などの、一言《ひとこと》では説明《せつめい》できない複雑《ふくざつ》な心《こころ》の形《かたち》というのもある。実《じつ》は、心《こころ》の形《かたち》には、絶対《ぜったい》にこういうものという正解《せいかい》はないんだ。

私《わたし》たちの心《こころ》は、いつも形《かたち》を変《か》えていて、たくさんの感《かん》情《じょう》を感《かん》じることができるようになっている。どんな感情《かんじょう》も、きみの心《こころ》にとって、大切《たいせつ》な糧《かて》。プラスの心《こころ》の形《かたち》も、マイナスの心《こころ》の形《かたち》も、同《おな》じように大事《だいじ》にして、毎日《まいにち》を過《す》ごしたいね。

一口《ひとくち》コラム　「めんどくさい」はどうやって追《お》いはらう？

ついつい口《くち》にしてしまう「めんどくさい」気持《きも》ち。これも心《こころ》の形《かたち》のひとつで、苦手《にがて》なことや退屈《たいくつ》な作《さ》業《ぎょう》をしないといけないときなどに出《で》てくることが多《おお》い。めんどくさい心《こころ》って、だれにでもあるけれど、やっかいだよね。

めんどくさいの解決法《かいけつほう》は、ひとつだけある。それは、めんどくさい心《こころ》が居座《いすわ》る前《まえ》に動《うご》くこと。それができたら悩《なや》まないよ……と思《おも》うかもしれないけれど、めんどくさい心《こころ》を追《お》いはらうための「やる気《き》」は、自分《じぶん》でむかえに行《い》くものなんだ。だから、めんどくさいときも、ちょっとでも行動《こうどう》してみると、自然《しぜん》とやる気《き》がわいてくることが多《おお》い。まずは1分《ぷん》でいいからやってみて。めんどくさい心《こころ》が、いつの間《ま》にかなくなっているかもよ。

メモリーディスク

スネ夫《お》に借《か》りた本《ほん》。
こわいなあ。
こわい話
ワッ
こわい話
ワ
ワ
ワ
あら……。
チョロ
チョロ
あまりのこわさにおもらししてやがる。
みんなにいってやろ。

ドラえも〜ん。
てつだって!
おさいふさがしてるの。
そんなだいじなもの、どこへおいたの。
それがわからないから、さがしてるのよ。
ああ〜、どうしよう。
お給料日《きゅうりょうび》まで、まだ二十日《か》もあるのに。
ドラえも〜ん。
二十日間《かかん》飲《の》まず食《く》わずですごすことになりそうだ。
ええっ、こまるなあ。
「メモリーディスク」
脳《のう》にたくわえられてる記憶《きおく》を取《と》りだすの。
?

心《こころ》の不《ふ》思議《しぎ》Q&A《キューアンドエー》

Q ある一定《いってい》の作業中《さぎょうちゅう》にだけ必要《ひつよう》な記憶《きおく》を何《なん》と呼《よ》ぶ?

①ゴーイングメモリ ②ワーキングメモリ ③プレイングメモリ

のび太《た》もドラちゃんも、てつだいなさい!!
プルーン
昨日《きのう》からの一日分《にちぶん》の記憶《きおく》をぬきとっちゃった。
……。
こんなにちらかして、わたしなにをしてたのかしら。
これをプレーヤーで見《み》よう。
まず、一時間《じかん》ほど前《まえ》から。
週刊誌《しゅうかんし》読《よ》んでる。
なにごともなさそうだよ。
じゃ、二時間《じかん》ほど前《まえ》を。
テレビ見《み》てる。
あ、玄関《げんかん》にだれかが来《き》た気配《けはい》。
集金《しゅうきん》だ。
このとき、まださいふはあった。

A ②ワーキングメモリ　作業記憶《さぎょうきおく》ともいう。板書《ばんしょ》をノートに写《うつ》すときや、値段《ねだん》を暗算《あんざん》するときなどに、ワーキングメモリが働《はたら》くよ。

また だれか 来《き》た みたい。
画像《がぞう》が ぼやけた よ。
無意識《むいしき》の 行動《こうどう》は 記憶《きおく》が はっきり しないいん だよ。
よ〜く みがけば、なんとか うつる かも……。
ゴシ ゴシ
あ、ほうり だして いった。
お客《きゃく》を 案内《あんない》して ……。
ざぶとん の下《した》!
記憶《きおく》を もどす。
まあ〜、よかっ た!!

心《こころ》の不思議《ふしぎ》Q&A《キューアンドエー》

Q 脳《のう》にある「海馬《かいば》」の大《おお》きさはどれくらい?

①子《こ》どもの手《て》のひら　②子《こ》どもの小指《こゆび》　③子《こ》どもの顔《かお》

A ②子《こ》どもの小指《こゆび》　小指《こゆび》を少《すこ》し曲《ま》げたような形《かたち》をしていて、タツノオトシゴにも似《に》ているよ。

ママのわすれんぼにも、こまったもんだね。
ほんと……。
ジ～ト～
だいじなこと忘《わす》れてた!!
え～、みっともない。
あのふたりがいいふらしたら町中《まちじゅう》のうわさになる。
日本中《にっぽんじゅう》の大評判《だいひょうばん》。
しずちゃんに一生《いっしょう》けいべつされるんだ、ワ～～～。
まあまあ、なんとかするから。
ほんとにのび太《た》というやつは…。
もう話《はな》してる。
プルル‥
この中《なか》から、おもらしの記憶《きおく》の入《はい》ってる部分《ぶぶん》をさがしだす。

ワッとおどかしたらのび太《た》が……。
ここだ!
マジックでぬりつぶしちゃえ。
とくにジャイアンのは一時間《じかん》ほど前《まえ》から消《け》してよ。
これでもどしてもだいじょうぶ。
なにかおもしろい話《はなし》してたような気《き》がするけど……。
?
まだスネ夫《お》がのこってる。
早《はや》く見《み》つけなくちゃ。
しずちゃん。
おもしろい話《はなし》が。
プルル‥
なあに、おもしろい話《はなし》って。
?
消《け》しちゃえ!

心《こころ》の不思議《ふしぎ》Q&A《キューアンドエー》

Q 復習《ふくしゅう》に効果的《こうかてき》なのは、どの方法《ほうほう》?

①同《おな》じ参考書《さんこうしょ》を使《つか》う

②ちがう参考書《さんこうしょ》を使《つか》う

③2種類《しゅるい》の参考書《さんこうしょ》を使《つか》う

A ①同《おな》じ参考書《さんこうしょ》を使《つか》う　復習《ふくしゅう》には、毎回《まいかい》同《おな》じ教材《きょうざい》を使《つか》おう。ちがう教材《きょうざい》を使《つか》うと、脳《のう》が「新《あたら》しい情報《じょうほう》」と判断《はんだん》して、復習効果《ふくしゅうこうか》が減《へ》ってしまうよ。

変心《へんしん》うちわ

ママはねえ、もういやなのよ。
毎日《まいにち》同《おな》じことばかりくり返《かえ》すの。
じゃいわなきゃいい。
学期末《がっきまつ》テストも近《ちか》いことだし、
少《すこ》しはお勉強《べんきょう》したらどうなの。
やりますとも！
やる気《き》のないときにしたって身《み》につかないの。
やる気《き》になるのを待《ま》ってるの。
いつ、やる気《き》になるのよ。
さあ……、一時間後《じかんご》か……、明日《あした》か……、来週《らいしゅう》か来月《らいげつ》か……。
今《いま》すぐやりなさい！

心《こころ》の不思議《ふしぎ》Q&A《キューアンドエー》

Q 「一夜漬《いちやづ》け勉強法《べんきょうほう》」と、数日《すうじつ》かけてする「コツコツ勉強法《べんきょうほう》」、記憶《きおく》が長続《ながつづ》きするのはどっち？

わかったわね、すぐによ！
ぜったいにやらない。
うるさくてねむれない。
それどころじゃありません！
あの子《こ》ったら口《くち》ばっかりたっしゃになって。
ふむ、そういうたいどは感心《かんしん》できんな。
これからふたりできびしくしかりに行《い》きましょう。
ふたりともかんかんだ。
ああ、おこるならおこれ！
力《ちから》ずくで子《こ》どもをおさえようというのが気《き》にいらない。
こうなればいじでも勉強《べんきょう》しないぞ。
こじれると強情《ごうじょう》だからな。
わあ、来《き》た。

A コツコツ勉強法《べんきょうほう》　直後《ちょくご》のテストの点数《てんすう》はそれほど変《か》わらないけれど、コツコツ勉強法《べんきょうほう》の方《ほう》が、覚《おぼ》えたことを忘《わす》れるスピードが遅《おそ》いよ。

パタパタ
ムクリ
セッセ
セッセ
なにいってんだ、あんなに熱心《ねっしん》にやってるじゃないか。
あらまあ！
……。
どうして勉強《べんきょう》する気《き》になったのかな。
「変心《へんしん》うちわ」のせいだよ。
この風《かぜ》にふかれると、ころっと気《き》がかわるんだよ。
パタパタ
勉強《べんきょう》なんかやあめた。
うちわ貸《か》して。
だめ、返《かえ》せ！

パタ
パタ
思《おも》うぞんぶん使《つか》っておいで。
もう、お勉強《べんきょう》なまけて!!
待《ま》て!
パタ
子《こ》どもは遊《あそ》ばなくちゃいかん。
勉強《べんきょう》なんかどうでもいいから。
これはじつにすばらしいうちわだ。
よう、遊《あそ》ぼう。
塾《じゅく》へ行《い》くんだ。
この暑《あつ》いのに。
アリとキリギリスの話《はなし》知《し》ってる?
おれ、アリ。おまえ、キリギリス。
パタ
パタ

心《こころ》の不思議《ふしぎ》Q&A《キューアンドエー》

Q 「やる気《き》」に深《ふか》く関係《かんけい》している神経伝達物質《しんけいでんたつぶっしつ》はどれ? ①グルタミン酸《さん》 ②オキシトシン ③ドーパミン

A ③ドーパミン　「快感《かいかん》」にまつわる神経伝達物質《しんけいでんたつぶっしつ》。これが放出《ほうしゅつ》されると、モチベーションが上《あ》がり、やる気《き》スイッチが入《はい》りやすくなるよ。

さっきからへんにむずむずして……、
おちつけないのはなぜだろう。
見《み》つからないなあ。
あんまりむずかしいとこへかくれちゃつまんない。
ふう暑《あっ》い暑《あっ》い。
パタパタ
やめた。
あっ、わかった！
さっきからどうもおちつかないと思《おも》ったら、
トイレに行《い》きたかったんだ。
もれそう。
それにしても暑《あっ》いねえ。
パタパタ
入《はい》る気《き》なくなった。

心《こころ》の不思議《ふしぎ》Q&A《キューアンドエー》

Q「やる気《き》」を生《う》み出《だ》しやすい勉強法《べんきょうほう》はどれ？

①決《き》まった時間《じかん》にやる
②毎日《まいにち》の習慣《しゅうかん》につけ足《た》す
③正《ただ》しい姿勢《しせい》でやる

A すべて正解《せいかい》　「夕飯前《ゆうはんまえ》は漢字《かんじ》を覚《おぼ》える」などの習慣《しゅうかん》をつくっておくと、やる気《き》を出《だ》しやすい。正《ただ》しい姿勢《しせい》もやる気《き》をアップさせるよ。

ちょうどスイカを切《き》ったとこよ。
どうしてはねるのよ。
おちつきのないやつだなあ。
今日《きょう》は暑《あつ》いわね。
パタパタ
勉強《べんきょう》!
自分《じぶん》からいいだしといて、
かってに帰《かえ》っちゃうなんて!
かなりめちゃくちゃな結果《けっか》になったなあ。

モノモース

ぼくの切手《きって》、知《し》らないか。
知《し》らない。
つめたいなあ。
人《ひと》がこまってるのに。
きみのさがしものにいちいちつきあっていられないよ。
なんでもほったらかしておくからだ。
いつもなにかをなくして…。
あった。
だいじな切手《きって》をおしりの下《した》に…。
ごめん、悪《わる》かった。
おわびに、
いい物《もの》を貸《か》すよ。
「モノモース」
切手《きって》にふきかける。

心《こころ》の不思議《ふしぎ》Q&A《キューアンドエー》

Q 最《もっと》も記憶力《きおくりょく》がアップするのはどのタイミング？

①お腹《なか》がすいているとき ②満腹《まんぷく》のとき ③眠《ねむ》いとき

A
①お腹《なか》がすいているとき　だから、暗記系《あんきけい》の勉強《べんきょう》は、ごはんの前《まえ》に取《と》り組《く》むのがおすすめだよ。

めずらしい切手《きって》だから、
しずちゃんに見《み》せに行《い》こう。
きっとうらやましがるよ。
しずちゃあん。
ほんとにめずらしい切手《きって》ね。
高《たか》かったでしょ。
まあね。
それを買《か》うために、半年《はんとし》も貯金《ちょきん》したもんね。
うそ。ごみすて場《ば》でひろったくせに。
ね、いらない切手《きって》を、
取《と》りかえっこしない。
しようしよう。
切手《きって》の箱《はこ》、持《も》ってくる。
どこへしまったっけ。

ここだよ。
そうそう。
宿題《しゅくだい》が終《お》わるまで、遊《あそ》びに行《い》っちゃだめ。
もうやったよ。
うそ。
ひとつもやってない。
しずちゃんが待《ま》ってるのに…。
そわそわ
びんぼうゆすりは、やめてほしいな。ぼくがいたむから。
やんなっちゃう。こんなへたな字《じ》書《か》かされて。
15－3＝8
＝16
27－
ちがうよっ。問題《もんだい》をよく見《み》て。
あっ、そうか。

心《こころ》の不《ふ》思《し》議《ぎ》Q&A《キューアンドエー》

Q テスト前《まえ》の不安《ふあん》や緊張《きんちょう》をほぐすには、どうすればよい？

①とにかく寝《ね》る　②不安《ふあん》を紙《かみ》に書《か》く　③体《からだ》を動《うご》かす

A ②不安《ふあん》を紙《かみ》に書《か》く　どこに不安《ふあん》を感《かん》じるのか具体的《ぐたいてき》に紙《かみ》に書《か》くと、緊張《きんちょう》がほぐれて脳《のう》の働《はたら》きもよくなることが実験《じっけん》で証明《しょうめい》されているよ。

あっ、またまちがえた。
そうじゃないったら、だめだな。
頭悪《あたまわる》いんだから。
こないだも先生《せんせい》に…、クスクス…。
へえ、ほんと……。フフフ…。
うるさいっ！
かげ口《ぐち》をきくやつは、ぶんなぐるぞ！
うるさいのはあなたです。
ひとりでけんかなんかして。
のび太《た》さんおそいな。
しずちゃんが来《き》た。
こっそりぬけだそう。
こっそりぬけだすよ！

おしゃべり。
ママー、のび太《た》がね……。
シャツまでしゃべる。
ぬけだすようっ！
こんどはズボンが。
宿題《しゅくだい》が、
終《お》わらないのに、
遊《あそ》びに、
行《い》くよ！
なにをやってんだ。

「記憶《きおく》」のしくみはどうなっている？

自分《じぶん》が自分《じぶん》であることを証明《しょうめい》する記憶《きおく》の役割《やくわり》

「記憶《きおく》」というと、勉強《べんきょう》やテストをするときだけに必要《ひつよう》なものだと思《おも》うかもしれないけれど、実《じつ》は、ほかにも重《じゅう》要《よう》な役割《やくわり》をもっている。

例《たと》えば、私《わたし》たちが「自分《じぶん》」を他人《たにん》と区別《くべつ》することができるのは、記憶《きおく》があるからだ。そもそも自分《じぶん》を覚《おぼ》えていなければ、自分《じぶん》が自分《じぶん》であることがわからないよね。

また、みんなが何《なに》かを感《かん》じ、考《かんが》え、判断《はんだん》するとき、それは記憶《きおく》に基《もと》づいて行《おこな》われている。体育《たいいく》の授業《じゅぎょう》を受《う》けているときを想像《そうぞう》してみて。きみが「楽《たの》しい」と思《おも》っている横《よこ》では、友《とも》だちが「嫌《いや》だな」と思《おも》っているかもしれない。まったく同《おな》じことをしていても感《かん》じ方《かた》がちがうのは、それぞれが積《つ》み重《かさ》ねてきた人生《じんせい》の記憶《きおく》がちがうから。人間《にんげん》に個性《こせい》が生《う》まれるのは、みんなが記憶《きおく》をもっているからなんだ。

だから、私《わたし》たちの「心《こころ》」は、記憶《きおく》によって支《ささ》えられているといえる。もし、きみの記憶《きおく》がだれかと入《い》れ替《か》わってしまったら、まったく別人《べつじん》になることだってあり得《え》る。もし、私《わたし》たちがすべての記憶《きおく》を失《うしな》ったら、自分《じぶん》の心《こころ》まで失《うしな》ってしまうことになるかもしれないんだ。

また、過去《かこ》、現在《げんざい》、未来《みらい》などの「時間《じかん》」という概念《がいねん》が存在《そんざい》するのも、記憶《きおく》のおかげなんだ。もし、過去《かこ》、現在《げんざい》、未来《みらい》が切《き》り離《はな》されてしまったら、そこにいる私《わたし》たちは「今《いま》」しか感《かん》じることができない。それぞれの「今《いま》」が、記憶《きおく》によってつながっているからこそ、人間《にんげん》は時間《じかん》の流《なが》れを感《かん》じることができるんだね。

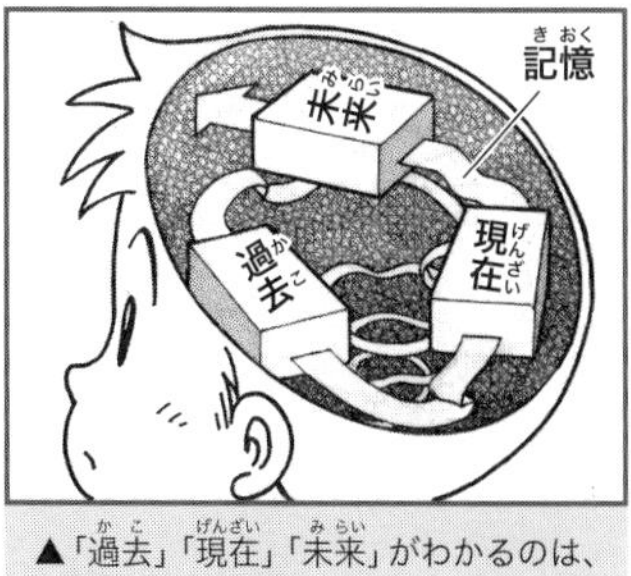

▲「過去《かこ》」「現在《げんざい》」「未来《みらい》」がわかるのは、「記憶《きおく》」があるからなんだ。

「短期記憶《たんききおく》」と「長期記憶《ちょうききおく》」2つの記憶《きおく》のちがいとは？

記憶《きおく》は、覚《おぼ》えておける時間《じかん》によって、「短期記憶《たんききおく》」と「長《ちょう》期記憶《ききおく》」の2種類《しゅるい》に分《わ》けられる。

「短期記憶《たんききおく》」「長期記憶《ちょうきおく》」と書《か》かれた2つの箱《はこ》を想像《そうぞう》してみよう。みんなが見《み》たり、聞《き》いたりして得《え》た情報《じょうほう》は、まず短期記憶《たんききおく》の箱《はこ》に入《い》れられる。とにかくすべての情報《じょうほう》が入《い》れられる大《おお》きな箱《はこ》だけれど、そこにはほんの短《みじか》い時間《じかん》しか情報《じょうほう》を入《い》れておくことができないんだ。

その後《ご》、短期記憶《たんききおく》のなかから特《とく》に重要《じゅうよう》だと脳《のう》が判断《はんだん》した記憶《きおく》は、長期記憶《ちょうきおく》の箱《はこ》に移動《いどう》することになる。ここで長期記憶《ちょうきおく》に移動《いどう》できなかった情報《じょうほう》は、記憶《きおく》として残《のこ》らず、忘《わす》れてしまうことになるよ。

例《たと》えば、みんなが授業中《じゅぎょうちゅう》、黒板《こくばん》に書《か》かれた文字《もじ》をノートに写《うつ》すときは、一定《いってい》の時間《じかん》、その文字《もじ》を覚《おぼ》えておく必要《ひつよう》があるよね。これが、短期記憶《たんききおく》だ。

そして、ノートに写《うつ》した情報《じょうほう》のなかには、後《あと》から思《おも》い出《だ》すことができる情報《じょうほう》も含《ふく》まれているだろう。それが、長期記憶《ちょうきおく》と呼《よ》ばれるものだ。

さらに長期記憶《ちょうきおく》は、言葉《ことば》や図《ず》などを使《つか》って「説明《せつめい》ができる」記憶《きおく》と、「説明《せつめい》ができない」記憶《きおく》に分《わ》けられる。小《ちい》さいころの思《おも》い出《で》や、勉強《べんきょう》の知識《ちしき》などは「説明《せつめい》できる」記《き》憶《おく》、逆上《さかあ》がりや自転車《じてんしゃ》の乗《の》り方《かた》など、体《からだ》を使《つか》って覚《おぼ》えたことは、「説明《せつめい》できない」記憶《きおく》だよ。

記憶《きおく》に残《のこ》す情報《じょうほう》の門番《もんばん》「海馬《かいば》」の役割《やくわり》

では、入《はい》ってきた情報《じょうほう》が長期記憶《ちょうきおく》に移動《いどう》できるかどうかは、どこで判断《はんだん》されているんだろう。このときに働《はたら》いているのが、大脳《だいのう》にある「海馬《かいば》」という部分《ぶぶん》だ。

海馬《かいば》は、短期記憶《たんききおく》にある情報《じょうほう》が、忘《わす》れていいものなのか、覚《おぼ》えておくべきものなのかを判断《はんだん》する役割《やくわり》をもっている。だから、みんなが「どうしても覚《おぼ》えておきたい」と思《おも》ったことでも、海馬《かいば》に「忘《わす》れていい」と判断《はんだん》されてしまえば、覚《おぼ》えておくことはできないんだ。

実《じつ》は、海馬《かいば》に情報《じょうほう》を「覚《おぼ》えておくべき」と判断《はんだん》してもらうためには、いくつかのコツがある。海馬《かいば》をうまく使《つか》って、情報《じょうほう》をしっかり覚《おぼ》えるコツについては、109ページからくわしく解説《かいせつ》していくよ。

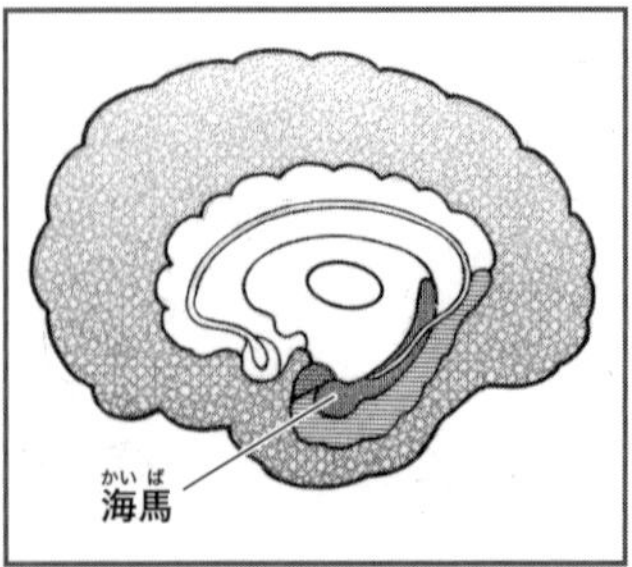

▲海馬《かいば》は、大脳《だいのう》で情報《じょうほう》の門番《もんばん》のような役割《やくわり》をしているよ。

脳《のう》が「忘《わす》れる」のはどうして？

脳《のう》は覚《おぼ》えるよりも忘《わす》れる方《ほう》が得意《とくい》!?

勉強《べんきょう》でも好《す》きなことでも、せっかく覚《おぼ》えたことをすぐに忘《わす》れてしまって、がっかりした経験《けいけん》はない？　でも、それはきみの記憶力《きおくりょく》が悪《わる》いからじゃない。実《じつ》は、脳《のう》は覚《おぼ》えるよりも、忘《わす》れることの方《ほう》が得意《とくい》なんだ。

特《とく》に勉強《べんきょう》をしていないときでも、私《わたし》たちの脳《のう》には、光《ひかり》、音《おと》、においなど、常《つね》に膨大《ぼうだい》な量《りょう》の情報《じょうほう》が入《はい》ってくる。でも、脳《のう》の大《おお》きさには限《かぎ》りがあるから、すべてを覚《おぼ》えておくことはできないよね。だから、海馬《かいば》で情報《じょうほう》を選別《せんべつ》して、特《とく》に重要《じゅうよう》な情報《じょうほう》だけ記憶《きおく》に残《のこ》すしくみになっている。脳《のう》に入《はい》ってくる情報《じょうほう》は、長《なが》く覚《おぼ》えているものよりも、忘《わす》れてしまうものの方《ほう》がずっと多《おお》いんだよ。

情報《じょうほう》を選別《せんべつ》するのには、もうひとつ、脳《のう》が消費《しょうひ》するエネルギーを節約《せつやく》する目的《もくてき》もある。脳《のう》の重《おも》さは体全体《からだぜんたい》の2%しかないけれど、消費《しょうひ》するエネルギーは、体全体《からだぜんたい》で使《つか》うエネルギーの20%にもなる。脳《のう》を働《はたら》かせるには、たくさんのエネルギーが必要《ひつよう》だから、いらない情報《じょうほう》は省《はぶ》いて、無駄《むだ》をなくしているんだ。

脳《のう》が「なんとなく」記憶《きおく》することのメリット

脳《のう》が忘《わす》れっぽいことには、ほかにもメリットがある。例《たと》えば、みんなが人《ひと》を見分《みわ》けるとき。ある友《とも》だちが、めがねをかけていたり、髪型《かみがた》が変《か》わったりしてもその人《ひと》だとわかるのは、私《わたし》たちの脳《のう》が、友《とも》だちの特徴《とくちょう》の大事《だいじ》なところだけを「なんとなく」記憶《きおく》しているからだ。反対《はんたい》に、コンピュータは、いろんなことを正確《せいかく》に記憶《きおく》できるけれど、この「なんとなく」の判断《はんだん》は苦手《にがて》。友《とも》だちの顔《かお》にひとつでも変《か》わっているところがあれば、同一人物《どういつじんぶつ》だと判断《はんだん》するのは難《むずか》しいんだって。

▲髪型《かみがた》などが変《か》わっても同《おな》じ人《ひと》だと判《はん》断《だん》できるのは、人間《にんげん》ならではの特技《とくぎ》!?

忘《わす》れ方《かた》のスピードはだんだんと遅《おそ》くなる

例《たと》えば、きみが100個《こ》の言葉《ことば》を覚《おぼ》えたとしよう。覚《おぼ》えて4時間後《じかんご》には、50個《こ》を一気《いっき》に忘《わす》れてしまう。その後《ご》、1日後《にちご》にはさらに20個《こ》、2日後《かご》にはさらに10個《こ》忘《わす》れていくというように、忘《わす》れるスピードは、だんだんとゆっくりになっていく。この「忘《わす》れ方《かた》」のスピードは、ある特定《とくてい》の人《ひと》だけではなく、だれでも同《おな》じような動《うご》きを見《み》せることがわかっているんだ。

これは、ドイツの心理学者《しんりがくしゃ》のヘルマン・エビングハウスという人《ひと》が証明《しょうめい》したもので、下《した》のような忘《わす》れ方《かた》の様子《ようす》をグラフにしたものを、「忘却曲線《ぼうきゃくきょくせん》」と呼《よ》ぶよ。

一度《いちど》頭《あたま》に入《い》れた情報《じょうほう》をしっかりと記憶《きおく》に残《のこ》すためには、忘《わす》れるタイミングに合《あ》わせてくり返《かえ》し復習《ふくしゅう》することが大事《だいじ》なんだ。効果《こうか》的《てき》な復習《ふくしゅう》のタイミングについては、後《あと》でくわしく説明《せつめい》していくよ。

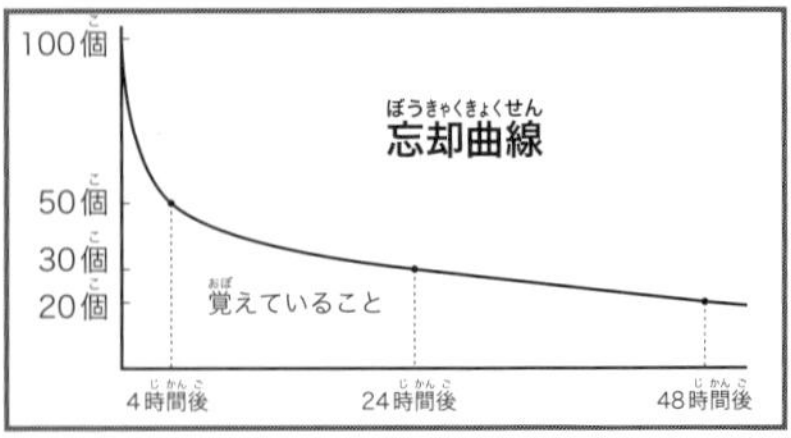

100個《こ》
忘却曲線《ぼうきゃくきょくせん》
50個《こ》
30個《こ》
20個《こ》
覚《おぼ》えていること
4時間後《じかんご》
24時間後《じかんご》
48時間後《じかんご》

記《き》憶《おく》はうそをつくことがある

記憶《きおく》ってすごい役割《やくわり》をもっているけれど、実《じつ》は、意外《いがい》に信用《しんよう》できないものでもある。つまり、自分《じぶん》が本当《ほんとう》だと思《おも》っていた記憶《きおく》が、うその記憶《きおく》だったということがあり得《え》るってことだ。

まずは、左《ひだり》のテストをやってみよう。

単語《たんご》を1分間《ぷんかん》よく見《み》て、覚《おぼ》えよう。その後《ご》、次《つぎ》のページの欄外《らんがい》、下《した》の方《ほう》にある問題《もんだい》に答《こた》えよう。

机《つくえ》　ノート　教科書《きょうかしょ》　いす　消《け》しゴム　参考書《さんこうしょ》　筆記用具《ひっきようぐ》
えんぴつ　辞書《じしょ》　定規《じょうぎ》　まんが　読書《どくしょ》　ボールペン

さて、きみは、なんと答《こた》えたかな？　この実験《じっけん》をすると、多《おお》くの人《ひと》は「ペン」と答《こた》えてしまうんだって。これは、リストにある単語《たんご》に文房具《ぶんぼうぐ》を表《あらわ》すものが多《おお》く、自然《しぜん》と「ペン」という単語《たんご》を連想《れんそう》してしまうことが理由《りゆう》なんだ。正《せい》解《かい》は「まんが」だよね。

こんなふうに、記憶《きおく》は、100%真実《しんじつ》を示《しめ》しているとは限《かぎ》らない。自分《じぶん》が「○○だった」と自信《じしん》をもって記憶《きおく》していたはずのことが、実《じつ》はまったく別《べつ》のものを示《しめ》していたということは、現実《げんじつ》でもよく起《お》こるんだ。

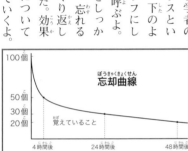

記憶力《きおくりょく》アップの方法《ほうほう》、教《おし》えます

記憶《きおく》に残《のこ》すためには くり返《かえ》すことが大事《だいじ》

特別《とくべつ》な道具《どうぐ》を使《つか》わなくても、記憶力《きおくりょく》をアップする方法《ほうほう》はある。海馬《かいば》が、記憶《きおく》に残《のこ》すかどうかの判断《はんだん》をしていることは前《まえ》に紹介《しょうかい》したよね。だから、海馬《かいば》に「これは重要《じゅうよう》な情報《じょうほう》なんだ」と思《おも》わせるような覚《おぼ》え方《かた》をすれば、記憶《きおく》に残《のこ》りやすくなるよ。

まずひとつの方法《ほうほう》は、よくいわれるように「復習《ふくしゅう》」することだ。「なーんだ、それだけか」と思《おも》うかもしれないけれど、海馬《かいば》は、何回《なんかい》もくり返《かえ》し思《おも》い出《だ》した情報《じょうほう》を重要《じゅうよう》だと判断《はんだん》するから、復習《ふくしゅう》はとても大事《だいじ》なんだ。

さまざまな実験《じっけん》から、復習《ふくしゅう》に効果的《こうかてき》なタイミングというのもわかっている。覚《おぼ》えてから1日後《にちご》、3日後《かご》、7日《か》後《ご》、21日後《にちご》、30日後《にちご》と、最初《さいしょ》の1か月《げつ》のうちに5回《かい》、45日《にち》後《ご》、60日後《にちご》と、次《つぎ》の1か月《げつ》に2回《かい》の合計《ごうけい》7回《かい》というのが、復習《ふくしゅう》にちょうどよいタイミングだよ。海馬《かいば》が記憶《きおく》に残《のこ》す情報《じょうほう》を選別《せんべつ》する約《やく》1か月《げつ》の間《あいだ》に何度《なんど》も復習《ふくしゅう》して、その後《ご》は復習《ふくしゅう》の間隔《かんかく》を長《なが》くしていくのがコツなんだ。

覚《おぼ》えたい情報《じょうほう》は どんどん「アウトプット」しよう

また、情報《じょうほう》を入《い》れることを「インプット」、情報《じょうほう》を出《だ》すことを「アウトプット」と呼《よ》ぶけれど、記憶《きおく》するためには、アウトプットをたくさんした方《ほう》がいい。

アウトプットの方法《ほうほう》は、人《ひと》に話《はな》したり、自分《じぶん》の言葉《ことば》で書《か》いたりするなど、いろいろある。「テスト」も効果的《こうかてき》だ。だから勉強中《べんきょうちゅう》は、自分《じぶん》でどんどんテストをしよう。そこで悩《なや》んだり、まちがったり、想像《そうぞう》したりしたことが、次《つぎ》に思《おも》い出《だ》すときのヒントになるんだ。インプットした情報《じょうほう》は、たくさんアウトプットをすることで、記憶《きおく》として定着《ていちゃく》していくよ。

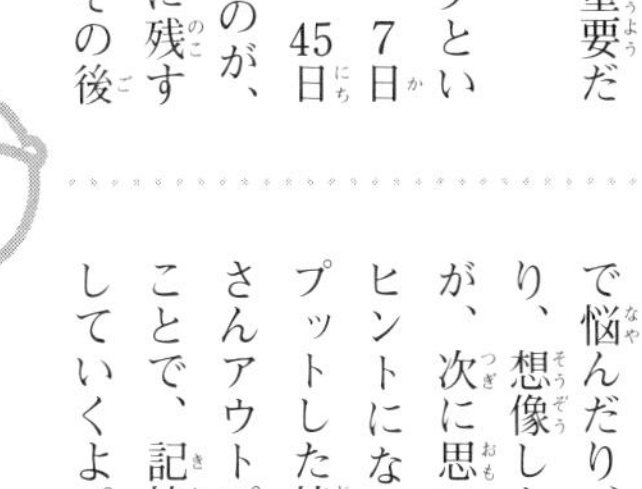

▲覚《おぼ》えたことをだれかに話《はな》すのも「アウトプット」だよ。

問題《もんだい》：さっき見《み》た単語《たんご》のなかにあったのは、どれかな？　ペン　まんが　スプーン

勉強《べんきょう》は苦労《くろう》して、中途半端《ちゅうとはんぱ》にすると より記憶《きおく》に残《のこ》る!?

楽《らく》に記憶《きおく》ができたらいいのに……って思《おも》う人《ひと》は多《おお》いよね。でも残念《ざんねん》だけど、楽《らく》に覚《おぼ》えたことは忘《わす》れるのも早《はや》く、苦労《くろう》をして覚《おぼ》えたことの方《ほう》が、より記憶《きおく》に残《のこ》りやすいということが実験《じっけん》で証明《しょうめい》されているんだ。

効果的《こうかてき》な覚《おぼ》え方《かた》としては、「見《み》る」より「書《か》いて」覚《おぼ》える方法《ほうほう》、自分《じぶん》にとって少《すこ》し難《むずか》しいと感《かん》じる本《ほん》や教科書《きょうかしょ》を使《つか》う方法《ほうほう》、答《こた》えをまちがえたときに、すぐにやり方《かた》を見《み》ないで、もう一度《いちど》自分《じぶん》で考《かんが》えてみる方法《ほうほう》などがあるよ。

また、国語《こくご》の勉強《べんきょう》をやりきってから算数《さんすう》の勉強《べんきょう》に取《と》りかかるという人《ひと》も多《おお》いよね。でも実《じっ》は、記憶《きおく》のためには、勉強《べんきょう》を「中途半端《ちゅうとはんぱ》」にした方《ほう》がいいんだ。なぜなら、脳《のう》は、一度《いちど》始《はじ》めたことを「最後《さいご》まで終《お》わらせたい」という強《つよ》い欲求《よっきゅう》をもっているから。中途半端《ちゅうとはんぱ》に終《お》わらせたことは、やりきったことよりも、記憶《きおく》に残《のこ》りやすいといわれているんだ。だから、勉強《べんきょう》するときは、ひとつの教科《きょうか》や範囲《はんい》を「もうちょっとやりたいな」「まだよくわからないな」と思《おも》いながらわざと中断《ちゅうだん》して、ほかの勉強《べんきょう》をやり、もう一度《いちど》最初《さいしょ》の勉強《べんきょう》に戻《もど》る「交互学習《こうごがくしゅう》」のサイクルでやってみよう。やる気《き》も続《つづ》きやすいから、おすすめだよ。

好奇心《こうきしん》と感情《かんじょう》で記憶力《きおくりょく》がアップ

また、情報《じょうほう》をインプットするときに、好奇心《こうきしん》と感情《かんじょう》をもつことも、よく覚《おぼ》えるためのカギになる。

好奇心《こうきしん》とはつまり、興味《きょうみ》をもって、わくわくすること。みんなも、好《す》きなまんがのキャラクターのことなら覚《おぼ》えられるのに、勉強《べんきょう》は全然覚《ぜんぜんおぼ》えられない……なんてこと、あるんじゃないかな。どうして好《す》きなことはどんどん覚《おぼ》えられるかというと、そこに、好奇心《こうきしん》が働《はたら》いているから。わくわくすると、脳《のう》から「シータ波《は》」という脳波《のうは》が出《で》て、海馬《かいば》がその情報《じょうほう》を重要《じゅうよう》だと判断《はんだん》しやすくなるんだ。

また、海馬《かいば》には、第3章《だいしょう》で紹介《しょうかい》した「感情《かんじょう》」が動《うご》いたときの情報《じょうほう》を大事《だいじ》だと判《はん》断《だん》するくせもあるよ。

好奇心《こうきしん》や感情《かんじょう》と結《むす》びつけて覚《おぼ》えるためには、勉強《べんきょう》をつまらないと思《おも》い込《こ》まずに、わくわくしたり、楽《たの》しいと思《おも》ったりするポイントを見《み》

▲学習《がくしゅう》まんがで感情《かんじょう》を動《うご》かしながら勉《べん》強《きょう》すると、記憶力《きおくりょく》もアップするかも!?

つけることが大切《たいせつ》だ。

例《たと》えば、社会科《しゃかいか》で勉強《べんきょう》した場所《ばしょ》に行《い》ったり、理科《りか》で学《まな》んだ生《い》き物《もの》を見《み》に行《い》ったりと、勉強《べんきょう》したことを実際《じっさい》に体験《たいけん》するのもひとつの方法《ほうほう》。すると、その情報《じょうほう》は好奇心《こうきしん》や感情《かんじょう》に結《むす》びついた「思《おも》い出《で》」になるから、記憶《きおく》に残《のこ》りやすいんだ。

よく寝《ね》る子《こ》はよく覚《おぼ》える子《こ》

テストの前《まえ》に寝《ね》る時間《じかん》をけずって勉強《べんきょう》したり、寝《ね》ないで勉強《べんきょう》したりした経験《けいけん》がある人《ひと》もいるかもしれないね。でも実《じつ》はこれ、記憶《きおく》のためにはよくない方法《ほうほう》だ。

海馬《かいば》が活躍《かつやく》するのは、みんなが寝《ね》ている間《あいだ》。海馬《かいば》は睡《すい》眠中《みんちゅう》に、起《お》きているときに入《はい》ってきた情報《じょうほう》を早送《はやおく》りで再《さい》生《せい》して、長期記憶《ちょうききおく》に残《のこ》すものを選別《せんべつ》している。ちなみに、寝《ね》ているときに見《み》る「夢《ゆめ》」の大部分《だいぶぶん》は、この海馬《かいば》が再生《さいせい》している記憶《きおく》であるといわれているよ。

こんなふうに、海馬《かいば》は睡眠中《すいみんちゅう》によく働《はたら》くから、何《なに》かを覚《おぼ》えた後《あと》は、できるだけ早《はや》く眠《ねむ》った方《ほう》がいい。漢字《かんじ》や九九《くく》、都道府県名《とどうふけんめい》などの「覚《おぼ》える勉強《べんきょう》」は、朝《あさ》よりも夜《よる》に取《と》り組《く》んだ方《ほう》が、効果《こうか》が高《たか》いんだ。

また、睡眠《すいみん》には、寝《ね》る前《まえ》にどんなに一生懸命練習《いっしょうけんめいれんしゅう》してもできなかったことが、起《お》きたときにできるようになっている「レミニセンス」という効果《こうか》もある。これも、睡眠《すいみん》中《ちゅう》に海馬《かいば》が情報《じょうほう》を整理《せいり》して、どうやったらうまくできるのか、試行錯誤《しこうさくご》しているからなんだ。

眠《ねむ》ることも、大事《だいじ》な勉強《べんきょう》の一部《いちぶ》。記憶《きおく》のためには、8時間《じかん》くらい眠《ねむ》るのが理想的《りそうてき》だといわれているよ。

▲ずっと練習《れんしゅう》してきたことが、睡《すい》眠《みん》をとった後《あと》にできるようになっているのは、海馬《かいば》が記憶《きおく》を整理《せいり》して、使《つか》いやすくしているからなんだ。

一口《ひとくち》コラム 「ど忘《わす》れ」したときはどうすればいい？

部屋《へや》にはさみを取《と》りに来《き》たはずなのに、何《なに》をしに来《き》たのか忘《わす》れてしまったり、話《わ》題《だい》にしようとしていた有名人《ゆうめいじん》の名前《なまえ》を急《きゅう》に忘《わす》れてしまったり。こういう現象《げんしょう》を「ど忘《わす》れ」というけれど、なんだかもやもやするよね。ど忘《わす》れは、本当《ほんとう》は覚《おぼ》えている記憶《きおく》を脳《のう》が「偶然《ぐうぜん》」呼《よ》び出《だ》せない状態《じょうたい》のときに起《お》こる。子《こ》どもでも、大人《おとな》でもよくあることだから、脳《のう》の気《き》まぐれだと思《おも》って、あまり気《き》にしなくていいよ。ど忘《わす》れしたときは、はさみを「取《と》りに行《い》こう」と思《おも》い立《た》った場所《ばしょ》に戻《もど》るなど、忘《わす》れる前《まえ》と同《おな》じような状況《じょうきょう》をつくってみると思《おも》い出《だ》しやすくなるよ。

ごきげんメーター

いつうちあけるか……、
そのタイミングが問題《もんだい》だ。

テストの成績《せいせき》が、今日《きょう》はひどく悪《わる》かったんだ。
今日《きょう》はじゃなくて、今日《きょう》もだろ。

ママのごきげんは、どんなぐあいかな……。
虫《むし》のいどころの悪《わる》いときにこんなことうちあけたら、どんなカミナリが落《お》ちることか。
そういうことなら……。
「ごきげんメーター」
これをのぞくと、相手《あいて》の気分《きぶん》が晴《は》れとかくもりとか雨《あめ》とか、空《そら》もようになって見《み》える。
くもりだ。
かなりきげん悪《わる》い。
あとにしたほうがいいな。
はい、野比《のび》です。
あらパパ、どうなさったの？

えっ、宝《たから》くじで十万円《まんえん》当《あ》たったんですって？
まあ、なんてすてきなんでしょ。
太陽《たいよう》がかがやきはじめた。
うちあけるなら今《いま》だ！
フウン……。
まあ、すぎたことはしかたないわ。
このつぎはがんばってちょうだいね。
こりゃいい機械《きかい》だ。
おもしろいのね。
おれにちょっと見《み》せてくれ。
みんな晴《は》ればっかり。もっといろんな天気《てんき》見《み》たいぞ。
しばらく借《か》りたぜ。
えっ。

心《こころ》の不思議《ふしぎ》Q&A《キューアンドエー》

Q 映像《えいぞう》の間《あいだ》に一瞬《いっしゅん》別《べつ》の映像《えいぞう》を流《なが》し、見《み》る人《ひと》に印象《いんしょう》づける効果《こうか》を何《なに》と呼《よ》ぶ？

①サブリミナル効果《こうか》　②ドップラー効果《こうか》

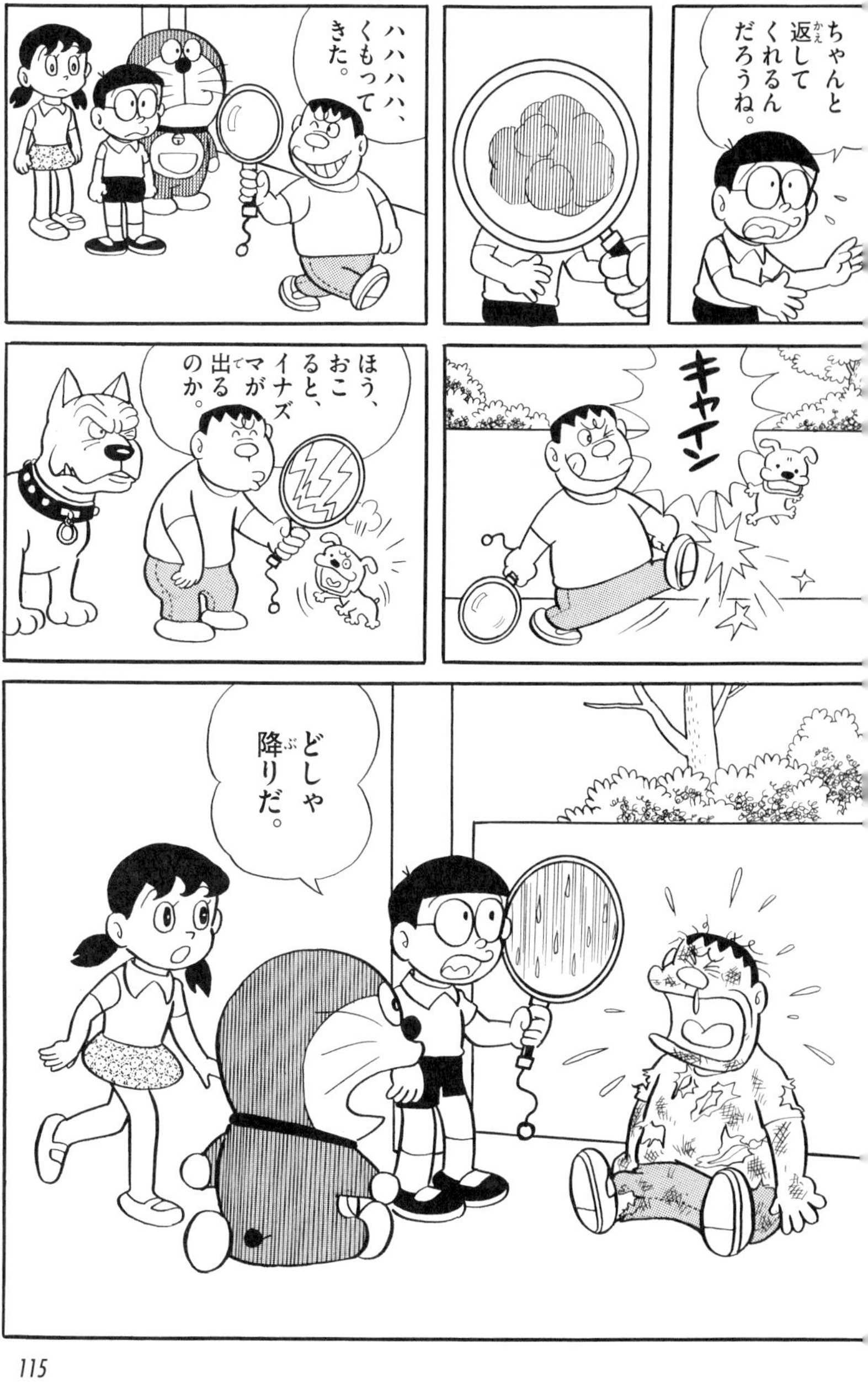

A ①サブリミナル効果《こうか》　90年代《ねんだい》ごろまでは商品広告《しょうひんこうこく》などにも使用《しよう》されていたけれど、現在《げんざい》の放送《ほうそう》では禁止《きんし》されているよ。

心《こころ》を科学《かがく》する「心理学《しんりがく》」ってどんな学問《がくもん》？

心理学《しんりがく》ってなに？

みんなは、「心理学《しんりがく》」って聞《き》いたことがある？ 「心理《しんり》」というのは、「心《こころ》の働《はたら》き」という意味《いみ》。心理学《しんりがく》は、私《わたし》たちの心《こころ》の働《はたら》きを論理的《ろんりてき》に研究《けんきゅう》することで、心《こころ》のしくみを解《かい》明《めい》しようとする学問《がくもん》だよ。

第《だい》2章《しょう》では、脳《のう》の研究《けんきゅう》から心《こころ》を解《と》き明《あ》かす「脳科学《のうかがく》」を紹介《しょうかい》したけれど、心《こころ》を研究《けんきゅう》する分野《ぶんや》であるという点《てん》では、心理学《しんりがく》も同《おな》じ。脳科学《のうかがく》では「脳《のう》」を主《おも》に研究《けんきゅう》し、心理学《しんりがく》では「心《こころ》の働《はたら》き」を主《おも》に研究《けんきゅう》する。でも、心《こころ》は脳《のう》に大《おお》きく関係《かんけい》しているから、どちらも同《おな》じことを研究《けんきゅう》しているともいえる。脳科学《のうかがく》と心理学《しんりがく》は、切《き》っても切《き》り離《はな》せない関係《かんけい》にあるんだ。

▲アリストテレスは、著書《ちょしょ》『心《こころ》とは何《なに》か』のなかで、心《こころ》は心臓《しんぞう》にあると述《の》べた。プラトンは、人間《にんげん》の魂《たましい》（＝心《こころ》）は、理性《りせい》、意志《いし》、欲望《よくぼう》の3つで構成《こうせい》されていると唱《とな》えた。

心理学《しんりがく》という言葉《ことば》は、1590年《ねん》にドイツの哲学者《てつがくしゃ》、ルドルフ・ゴクレニウスが論文《ろんぶん》のタイトルで使《つか》ったのが始《はじ》まりだといわれているんだけれど、心《こころ》の研究《けんきゅう》そのものは、紀元前《きげんぜん》の時代《じだい》から行《おこな》われていた。古代《こだい》ギリシャのアリストテレスやプラトンなどの哲学者《てつがくしゃ》は、すでに心《こころ》の働《はたら》きに注目《ちゅうもく》していて、それぞれの本《ほん》のなかで、心《こころ》の働《はたら》きについての言葉《ことば》を残《のこ》しているよ。

心理学《しんりがく》の種類《しゅるい》

心理学《しんりがく》は、大《おお》きく「基礎心理学《きそしんりがく》」「応用心理学《おうようしんりがく》」の2つに分《わ》けられる。

基礎心理学《きそしんりがく》は、実験《じっけん》などによって心理学《しんりがく》の基本《きほん》となる一般的《いっぱんてき》な法則《ほうそく》を研究《けんきゅう》するもので、人間《にんげん》の「集団《しゅうだん》」に焦点《しょうてん》を当《あ》てて研究《けんきゅう》を行《おこな》う。具体的《ぐたいてき》には、認知心理学《にんちしんりがく》、知覚心理学《ちかくしんりがく》、発達心理学《はったつしんりがく》、社会心理学《しゃかいしんりがく》、学習心理学《がくしゅうしんりがく》、異常心理学《いじょうしんりがく》、言語《げんご》心理学《しんりがく》、人格心理学《じんかくしんりがく》、数理心理学《すうりしんりがく》などがあるよ。

応用心理学《おうようしんりがく》は、基礎心理学《きそしんりがく》の研究《けんきゅう》からわかった知識《ちしき》や法則《ほうそく》を、実際《じっさい》の生活《せいかつ》に役立《やくだ》つように応用《おうよう》したもので、こちらでは、人間《にんげん》「個人《こじん》」に焦点《しょうてん》を当《あ》てるのが特徴《とくちょう》だよ。例《たと》えば、臨床心理学《りんしょうしんりがく》、教育心理学《きょういくしんりがく》、産業心理学《さんぎょうしんりがく》、音楽心理学《おんがくしんりがく》、色彩心理学《しきさいしんりがく》、スポーツ心理学《しんりがく》、災害心理学《さいがいしんりがく》などがあるけれど、これらはほんの一部《いちぶ》。時代《じだい》の移《うつ》り変《か》わりや技術《ぎじゅつ》の進歩《しんぽ》によって、人間《にんげん》が向《む》き合《あ》うべきことがらは複雑《ふくざつ》になっているから、近年《きんねん》は、応用心理学《おうようしんりがく》の細分化《さいぶんか》や専門化《せんもんか》が進《すす》んでいる。いろいろな応用心理学《おうようしんりがく》が生《う》まれていて、生活《せいかつ》のさまざまな場面《ばめん》で役立《やくだ》てられているんだ。

心理学《しんりがく》では何《なに》がわかるの？

見《み》えない「心《こころ》」の研究《けんきゅう》は、古《ふる》くは哲学者《てつがくしゃ》から始《はじ》まり、心理学者《しんりがくしゃ》や精神科医《せいしんかい》など、いろいろな人《ひと》によって進《すす》められた。例《たと》えば、オーストリアの精神科医《せいしんかい》フロイトは、私《わたし》たちの心《こころ》を「意識《いしき》」と「無意識《むいしき》」に分《わ》けて考《かんが》えた。意識《いしき》とは、みんなが感《かん》じることのできる「心《こころ》」のこと。無意識《むいしき》とは、私《わたし》たちが普段意識《ふだんいしき》することのない、もしくは、自《じ》分《ぶん》では知《し》ることのできない「心《こころ》」の部分《ぶぶん》のこと。私《わたし》たちがしている行動《こうどう》には、自分《じぶん》では知《し》ることのできない「無意《むい》識《しき》」の部分《ぶぶん》が大《おお》きく関係《かんけい》していると考《かんが》えたんだ。この考《かんが》え方《かた》は、その後《ご》の心理学《しんりがく》の研究《けんきゅう》に大《おお》きな影響《えいきょう》を与《あた》えたよ。

▲フロイトは、心《こころ》の不調《ふちょう》を治療《ちりょう》する「精神分析学《せいしんぶんせきがく》」を確立《かくりつ》した人物《じんぶつ》。後《のち》に心《こころ》は、「エス（＝欲望《よくぼう》）」「自我《じが》（＝意識《いしき》の中心《ちゅうしん》）」「超自我《ちょうじが》（＝良心《りょうしん》）」の３つの要素《ようそ》でできていると唱《とな》えたよ。

心理学《しんりがく》は、自分《じぶん》の心《こころ》を理解《りかい》するために役《やく》に立《た》つ。ほかにも、心理学《しんりがく》を学《まな》ぶと、性格《せいかく》のちがいや個性《こせい》はどうやって生《う》まれるのか、人間関係《にんげんかんけい》をスムーズにするためには、どう行動《こうどう》すればいいのかなどを知《し》ることができるんだ。

心理学《しんりがく》に正解《せいかい》はない

心理学《しんりがく》では、心《こころ》の働《はたら》きやしくみを研究《けんきゅう》する。ただし、人間《にんげん》の心《こころ》は一人《ひとり》ひとりちがうから、１００％の人《ひと》に当《あ》てはまる、絶対的《ぜったいてき》な「正解《せいかい》」があるわけではない。心理学《しんりがく》の目的《もくてき》は、あくまでも、さまざまな実験《じっけん》や研究《けんきゅう》によって、「こういう人《ひと》が多《おお》い」という傾向《けいこう》を追究《ついきゅう》していくことにあるんだ。だから、心理学《しんりがく》には有名《ゆうめい》な研究者《けんきゅうしゃ》がたくさんいて、それぞれが一部《いちぶ》では同《おな》じことを言《い》っていたり、正反対《せいはんたい》のことを言《い》っていたりする。混乱《こんらん》することもあるけれど、それは「心《こころ》」に正解《せいかい》がないからなんだよ。

心理学《しんりがく》には、正解《せいかい》がない。だからこそ、その研究《けんきゅう》におもしろさややりがいを感《かん》じて、興味《きょうみ》をもつ人《ひと》も多《おお》いんだ。

いろいろな心理学《しんりがく》①

「基礎《きそ》心理学《しんりがく》」にはどんなものがある？

心《こころ》のしくみや働《はたら》きを研究《けんきゅう》する 認知心理学《にんちしんりがく》

見《み》る、聞《き》く、話《はな》す、記憶《きおく》する、考《かんが》えるなどの人間《にんげん》の心《こころ》のしくみについて研究《けんきゅう》するのが、「認知心理学《にんちしんりがく》」だ。コンピュータの誕生《たんじょう》に影響《えいきょう》を受《う》けて盛《さか》んになった分野《ぶんや》で、人間《にんげん》が情報《じょうほう》を処理《しょり》するしくみをコンピュータのしくみと重《かさ》ね、比較《ひかく》することで研究《けんきゅう》が進《すす》められているよ。

「認知《にんち》バイアス」の不思議《ふしぎ》

みんなは、何《なに》かが起《お》こったときに、「やっぱりね」と思《おも》ったことはない？　日常《にちじょう》のなかで「予感《よかん》が当《あ》たった」と感《かん》じることは、結構《けっこう》あるかもしれない。けれど、その「予《よ》感《かん》」は、本当《ほんとう》に感《かん》じていたことではなかった可能性《かのうせい》がある。人間《にんげん》の脳《のう》には、結果《けっか》を知《し》る前《まえ》の記憶《きおく》を「○○だと思《おも》っていたはず」と書《か》き換《か》えてしまう「くせ」があることが証明《しょうめい》されている。これを、「後知恵《あとぢえ》バイアス」というよ。

このように、思《おも》い込《こ》みや先入観《せんにゅうかん》、偏見《へんけん》などから思考《しこう》に偏《かたよ》りやくせが出《で》ることを「認知《にんち》バイアス」と呼《よ》ぶ。

認知《にんち》バイアスは日常《にちじょう》のなかにも多《おお》くあって、有効成分《ゆうこうせいぶん》が入《はい》っていない偽《にせ》の薬《くすり》でも、効《き》くと信《しん》じて飲《の》むことにより本物《ほんもの》と似《に》た効果《こうか》をもたらす「偽薬《ぎやく》（プラセボ）効果《こうか》」もそのひとつ。ほかにも、108ページで紹介《しょうかい》した「記憶《きおく》はうそをつくことがある」というのも、認知《にんち》バイアスのひとつだよ。

▲欲《ほ》しいものが手《て》に入《はい》らなかったときなどに、合《ごう》理的《りてき》な説明《せつめい》をつけて自分《じぶん》を納得《なっとく》させる「すっぱいぶどうの理論《りろん》」も、認知《にんち》バイアスの一例《いちれい》だ。

心《こころ》と知覚《ちかく》の関係《かんけい》を調《しら》べる 知覚心理学《ちかくしんりがく》

人《ひと》には、目《め》で見《み》る「視覚《しかく》」、耳《みみ》で聞《き》く「聴覚《ちょうかく》」、味《あじ》を感《かん》じる「味覚《みかく》」、においをかぐ「嗅覚《きゅうかく》」、触《さわ》って感《かん》じる「触覚《しょっかく》」の

※P119の①の答《こた》え：上向《うわむ》きと下向《したむ》き、2つの三角形《さんかっけい》が見《み》えてこない？　けれど、実際《じっさい》にはどこにも三角形《さんかっけい》はないよね。

5つの知覚《ちかく》（＝五感《ごかん》）が備《そな》わっている。五感《ごかん》をはじめとするさまざまな知覚《ちかく》と心《こころ》との関係《かんけい》を研究《けんきゅう》するのが「知覚《ちかく》心理学《しんりがく》」だ。知覚《ちかく》のなかでも特《とく》に研究《けんきゅう》が進《すす》んでいるのが、「視覚《しかく》」。目《め》から入《はい》ってくる情報《じょうほう》は膨大《ぼうだい》で複雑《ふくざつ》だから、幅《はば》広《ひろ》く研究《けんきゅう》されているんだよ。

不思議《ふしぎ》な「目《め》の錯覚《さっかく》」はどうして起《お》こる？

まずは、下《した》の図《ず》を見《み》てみよう。実際《じっさい》にはないものが見《み》えたり、見《み》たものを勘違《かんちが》いしたりする現象《げんしょう》を「錯視《さくし》」や「目《め》の錯覚《さっかく》」と呼《よ》ぶ。

錯視《さくし》が起《お》こる理由《りゆう》は大《おお》きく2つに分《わ》けられ、脳《のう》や網膜《もうまく》などの視覚《しかく》にまつわる器官《きかん》の構造《こうぞう》によりつくり出《だ》されるものと、脳《のう》の「思《おも》い込《こ》み」によるものがある。

脳《のう》は、目《め》で見《み》たものを、これまでの経験《けいけん》から得《え》た、「光《ひかり》は上《うえ》から当《あ》たるはず」「遠《とお》くにあるものは小《ちい》さく見《み》えるはず」などの常識的《じょうしきてき》なルールに従《したが》って処理《しょり》をしたり、補《ほ》正《せい》をしたりしている。こうしたルールは、たいていの場《ば》合《あい》うまく働《はたら》いていて、私《わたし》たちが混乱《こんらん》することなくものを見《み》るのに役立《やくだ》っている。けれどときどき、この思《おも》い込《こ》みのせいで、錯視《さくし》が起《お》こることがあるんだ。

一口《ひとくち》コラム　「自分《じぶん》」を認識《にんしき》するのは何歳《なんさい》から？

赤《あか》ちゃんが、鏡《かがみ》に映《うつ》った自分《じぶん》を見《み》て「これは自《じ》分《ぶん》だ」と認識《にんしき》するのはいつだと思《おも》う？　これを調《しら》べる実験《じっけん》として、乳幼児《にゅうようじ》のおでこにシールを貼《は》り、その姿《すがた》を鏡《かがみ》に映《うつ》して見《み》せるものがある。鏡《かがみ》に映《うつ》ったシールを見《み》て、自分《じぶん》のおでこを触《さわ》ったら、「鏡《かがみ》に映《うつ》った人物《じんぶつ》＝自分《じぶん》」と認識《にんしき》できているということだよね。この実験《じっけん》をすると、多《おお》くの場合《ばあい》、1歳半《さいはん》～2歳《さい》ごろの間《あいだ》に自分《じぶん》のおでこを触《さわ》るようになるんだ。このように、自分《じぶん》をほかの人《ひと》やまわりの環境《かんきょう》と区別《くべつ》して認識《にんしき》することを「自己認識《じこにんしき》」というよ。実験《じっけん》の通《とお》り、自己認識《じこにんしき》は、1歳半《さいはん》ごろから始《はじ》まり、成長《せいちょう》に従《したが》って深《ふか》まっていく。こんなふうに、人間《にんげん》の心《こころ》と体《からだ》がどうやって発達《はったつ》していくのかを研究《けんきゅう》する分野《ぶんや》を、「発達心理学《はったつしんりがく》」というよ。

①どんな図形《ずけい》が見《み》えるかな？

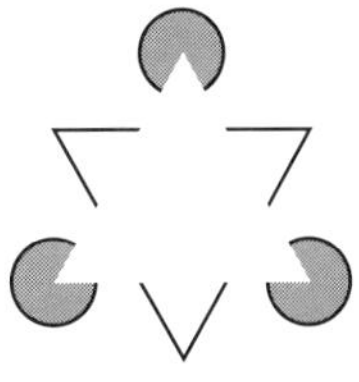

Eric R.Kandel,James H.Schwartz,Thomas M.Jessell,ESSENTIALS OF NEURAL SCIENCE AND BEHAVIOR,p.391 figure 21-7,1995 ©1995 Appleton & Lange,reproduced with permission of The McGraw-Hill Companies

②2つの直線《ちょくせん》の長《なが》さを比《くら》べてみよう。

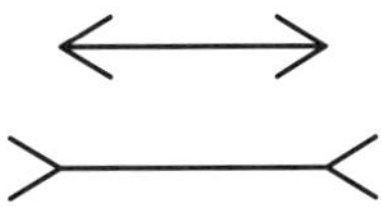

※②の答《こた》え：下《した》の直線《ちょくせん》の方《ほう》が長《なが》く見《み》えるよね。けれど、実際《じっさい》にはどちらも同《おな》じ長《なが》さなんだ。

いろいろな心理学《しんりがく》②
『応用心理学《おうようしんりがく》』の幅広《はばひろ》い世界《せかい》

音楽《おんがく》が心《こころ》にもたらす影響《えいきょう》を研究《けんきゅう》する 音楽心理学《おんがくしんりがく》

好《す》きな曲《きょく》を聞《き》いてうきうきした気分《きぶん》になったり、暗《くら》い曲《きょく》を聞《き》いて悲《かな》しい気分《きぶん》になったりしたことはない？ 音《おん》楽《がく》は、私《わたし》たちの心《こころ》や感情《かんじょう》に影響《えいきょう》を与《あた》える力《ちから》をもっている。こうした音楽《おんがく》が心《こころ》に与《あた》える効果《こうか》について研究《けんきゅう》するのが、音楽心理学《おんがくしんりがく》だ。

また、音楽心理学《おんがくしんりがく》でわかった法則《ほうそく》を心《こころ》の不調《ふちょう》などの治《ち》療《りょう》に生《い》かすことを「音楽《おんがく》療法《りょうほう》」という。音楽療法《おんがくりょうほう》には、音楽《おんがく》を聞《き》く「受動的療法《じゅどうてきりょうほう》」と、歌《うた》ったり、楽器《がっき》を弾《ひ》いたりする「能動的療《のうどうてきりょう》法《ほう》」の2つの方法《ほうほう》があって、リラックスやストレス軽減《けいげん》、心《こころ》をすっきりさせる効果《こうか》があるんだ。

▲音楽《おんがく》には、人《ひと》の心《こころ》に働《はたら》きかける効果《こうか》があるよ。

モーツァルトを聞《き》くと頭《あたま》がよくなる？

みんなはモーツァルトという作曲家《さっきょくか》を知《し》っている？ 実《じつ》は、モーツァルトの曲《きょく》には、「頭《あたま》をよくする」効果《こうか》があるという説《せつ》がある。これは、アメリカのラウシャー博《はか》士《せ》という人《ひと》が科学論文《かがくろんぶん》で発表《はっぴょう》したもので、実験《じっけん》の結果《けっか》、モーツァルトを聞《き》いた人《ひと》は、ＩＱ《アイキュー》（知能指数《ちのうしすう》）が、８～９ポイントもアップしたというよ。この説《せつ》にはいろいろな意見《いけん》があって、「本当《ほんとう》に効果《こうか》があるのか？」については、今《いま》も議論《ぎろん》が続《つづ》いているんだ。

ちなみに、集中《しゅうちゅう》するためには、まったく音《おと》のしない「無音《むおん》」の状態《じょうたい》はよくない。小《ちい》さな音《おと》やＢＧＭ《ビージーエム》がかすかに流《なが》れている

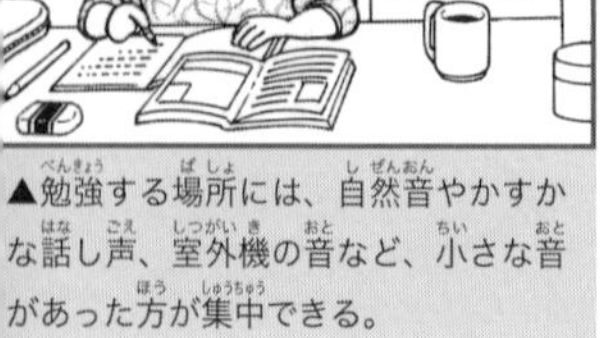

▲勉強《べんきょう》する場所《ばしょ》には、自然音《しぜんおん》やかすかな話《はな》し声《ごえ》、室外機《しつがいき》の音《おと》など、小《ちい》さな音《おと》があった方《ほう》が集中《しゅうちゅう》できる。

状態《じょうたい》の方《ほう》が、集中《しゅうちゅう》できるんだ。川《かわ》のせせらぎや雨《あめ》などの自然《しぜん》の音《おと》は、勉強《べんきょう》するときに向《む》いているそうだよ。

色《いろ》と心《こころ》の関係《かんけい》を読《よ》み解《と》く 色彩心理学《しきさいしんりがく》

音楽《おんがく》と同《おな》じように心《こころ》との関係《かんけい》が幅広《はばひろ》く研究《けんきゅう》されているのが、「色《いろ》」だ。色《いろ》には、人《ひと》の心《こころ》に働《はたら》きかけ、気分《きぶん》を静《しず》めたり、高《たか》めたりする力《ちから》がある。例《たと》えば、赤《あか》やオレンジ、ピンクなど暖色系《だんしょくけい》の色《いろ》は「暖《あたた》かみ」を感《かん》じさせ、青《あお》や緑《みどり》、水《みず》色《いろ》などの寒色系《かんしょくけい》の色《いろ》は「涼《すず》しさ」や「落《お》ち着《つ》き」を感《かん》じさせることが多《おお》いよ。

こうした色《いろ》のもつ心理的《しんりてき》な効果《こうか》を生《い》かしてものや場所《ばしょ》の配色《はいしょく》を決《き》めることを「色彩調節《しきさいちょうせつ》（カラーコンディショニング）」というんだ。このように、色《いろ》が心《こころ》に与《あた》える影響《えいきょう》を研究《けんきゅう》するのが、「色彩心理学《しきさいしんりがく》」だよ。

▲観葉植物《かんようしょくぶつ》や街路樹《がいろじゅ》を見《み》たときに心地《ここち》よさを感《かん》じるのは、緑《みどり》という色《いろ》のもつ効果《こうか》のためかも!?

「赤《あか》」のもつ不思議《ふしぎ》な力《ちから》

色《いろ》のもつ力《ちから》がわかりやすいのが、赤《あか》い色《いろ》だ。赤《あか》には、食欲《しょくよく》をアップさせたり、相手《あいて》を威嚇《いかく》したりする効果《こうか》がある。スポーツをするときに赤《あか》いユニフォームや装身具《そうしんぐ》を身《み》につけると、勝率《しょうりつ》が上《あ》がるという実験結果《じっけんけっか》もあって、相手《あいて》の戦意《せんい》ややる気《き》をうばうことが証明《しょうめい》されているんだ。

ただし、赤《あか》い色《いろ》は、勉強《べんきょう》には向《む》いていないという説《せつ》もある。これはいくつかの実験《じっけん》で証明《しょうめい》されていて、例《たと》えば、ＩＱ《アイキュー》テストの問題冊子《もんだいさっし》の表紙《ひょうし》を、赤《あか》、緑《みどり》、黒《くろ》、青《あお》などの色《いろ》に変《か》え、受験者《じゅけんしゃ》に別々《べつべつ》の色《いろ》を渡《わた》したところ、赤《あか》い表紙《ひょうし》の問題冊子《もんだいさっし》を渡《わた》された受験者《じゅけんしゃ》だけ、点数《てんすう》が平均《へいきん》で約《やく》20％も下《さ》がってしまったんだって。これは、赤《あか》が受験者《じゅけんしゃ》の「やる気《き》」をうばってしまったことが原因《げんいん》だと推測《すいそく》されている。だから、勉強《べんきょう》する場所《ばしょ》には、なるべく赤《あか》を置《お》かない方《ほう》がいいかもしれないね。

▲赤《あか》は、人《ひと》の警戒心《けいかいしん》を高《たか》め、戦意《せんい》をうばう。だから、赤信号《あかしんごう》などの警告《けいこく》のサインに使《つか》われることも多《おお》いんだ。

タンポポ空《そら》を行《い》く

へーえ。

おどろいたなあ。

見《み》ろよ、あのガラスばち。

ああ、去年《きょねん》カブトムシを飼《か》ってたんだ。

中《なか》をよく見《み》ろ。

タンポポ！

ふうん、タネがとんできたんだね。

すててこよう。

おい、まてよ。

よくそんなにあっさりとすてるなんていえるな。

やっと育《そだ》った花《はな》の命《いのち》をきみはむざんにも……。

おおげさないいかたするなよ、たかがタンポポに。

そういう考《かんが》えはよくない！たとえ草《くさ》一本《ぽん》、虫《むし》一匹《びき》でも。

愛《あい》する心《こころ》を失《うしな》ってはならない。そうすれば自然《しぜん》と心《こころ》がかよいあってゆたかな人間性《にんげんせい》が……。

ちっともわかんない。

心《こころ》の不《ふ》思《し》議《ぎ》Q&A《キューアンドエー》

Q 次《つぎ》のうち、脳《のう》の重《おも》さがいちばん重《おも》い動物《どうぶつ》は?

①イルカ　②チンパンジー　③ゴリラ

そうか、いってもわからないか。
「ファンタグラス」
これを見《み》な。
あっ。
泣《な》いてる!
すてられたくないんだよ。
なんだ、はずして見《み》るとただのタンポポじゃないか。
タンポポがほんとに泣《な》くわけじゃない。そう見《み》えるだけなんだ。
植物《しょくぶつ》も動物《どうぶつ》も人間《にんげん》みたいに見《み》える。
つまり童話《どうわ》の世界《せかい》になるんだ。

A ①イルカ　イルカの脳《のう》は人間《にんげん》よりも重《おも》く、しわも多《おお》い。ただし、脳《のう》の重《おも》さが単純《たんじゅん》に「頭《あたま》のよさ」に比例《ひれい》するわけではないよ。

こないだから
ずっと雨《あめ》がふら
ないから、
のどがカラカラ
なんだよ。
そう
いわれちゃ、
ほっとく
わけにも
いかない。
手《て》つだ
えよ。
ぼくには
なーんにも
聞《き》こえ
ない。
まあ、
めずらしい。
なにも
いわれ
ないのに
すすんで
水《みず》まきする
なんて。
見《み》て見《み》て、
なまけ者《もの》の
のび太《た》が。
雨《あめ》でもふるんじゃ
ないかしら。
あと
まかせる
!!
ほんとに
ネコが
しゃべってる
わけじゃ
ないよ。
きみが
心《こころ》の底《そこ》で
思《おも》ってる
ことなんだ。

心《こころ》の不《ふ》思《し》議《ぎ》Q&A《キューアンドエー》

Q 「紫外線《しがいせん》」を目《め》で見《み》ることができない生《い》きものはどれ？

①昆虫《こんちゅう》 ②鳥類《ちょうるい》 ③人間《にんげん》

A ③人間《にんげん》　人間《にんげん》は、日焼《ひや》けなどの原因《げんいん》になる紫外線《しがいせん》を目《め》で見《み》ることができない。昆虫《こんちゅう》、鳥類《ちょうるい》、爬虫類《はちゅうるい》は、見《み》ることができるよ。

ま、ふかく考《かんが》えないで、ときどきかけてあそぶといいさ。
だれがこんなもの。
二度《ど》とかけるもんか。
ははあ。ドラえもん、またドラやきをかくしているな。
「ファンタグラス」で見《み》よう。
はたらけはたらけ、冬《ふゆ》にそなえて。
なまけていると、いまにきっとこうかいするぞ。
のび太《た》みたいにならないように。せっせ、せっせ、せっせ。
まあっ、勉強《べんきょう》してる!!
気《き》がへんになったんじゃないかしら。

心《こころ》の不《ふ》思《し》議《ぎ》Q&A《キューアンドエー》

Q 次《つぎ》のうち、睡眠時間《すいみんじかん》が最《もっと》も長《なが》い動物《どうぶつ》は?

①キリン　②コアラ　③トラ

ジャア
ジャア
これでもんくないだろう。
いつもおいしいお水《みず》をありがとう。
つぼみがふくらんできたね。
おうい、のび太《た》。野球《やきゅう》に入《い》れてやるぞー。
行《い》くもんか!
また負《ま》けたらぼくのせいにするんだろ。
それはいけないわ。にがてならなおさらぶつかっていかなくちゃ。
うるさい!!なまいきいうとめんどうみてやらないぞ。

A ②コアラ　1日《にち》のうち、トラは約《やく》15時間《じかん》、コアラは約《やく》22時間《じかん》を寝《ね》て過《す》ごすといわれている。キリンは数十分《すうじっぷん》〜2時間《じかん》ほどしか眠《ねむ》らないよ。

きれいにさいたね。
のび太《た》さんのおかげよ。
いやいや。
こんないい場所《ばしょ》へうえていただいて、嵐《あらし》から守《まも》ってもらって。
のび太《た》さんはほんとにやさしくてたのもしい男《おとこ》の子《こ》だわ。
そんなこといわれたのはじめてだ。
ぼくもね、きみと話《はな》してるときがいちばん楽《たの》しいよ。
近《ちか》ごろよく庭《にわ》のすみでひとりごといってるけど………。心配《しんぱい》だわ。

心《こころ》の不思議《ふしぎ》Q&A《キューアンドエー》

Q 野生《やせい》のネコは、めったに「ニャア」と鳴《な》かない。本当《ほんとう》？　ウソ？

A 本当《ほんとう》「ニャア」と鳴《な》くのは、人間《にんげん》と近《ちか》い場所《ばしょ》でくらしているネコだけ。人間《にんげん》との交流《こうりゅう》のために使《つか》われる鳴《な》き声《ごえ》なのかもしれないね。

たまにはみんなと野球《やきゅう》でもやったらどうだい。
ぼくは自信《じしん》のないことには手《て》を出《だ》さないんだ。
じゃ、自信《じしん》のあることってなんだ。
え～～～……………。
なんにもない。
やい、のび太《た》！今日《きょう》こそ野球《やきゅう》をやれ!!
メンバーがたりないからしかたなく入《い》れてやるんだ。ありがたく思《おも》え。
これほどたのんでも出《で》ないか!!
人間《にんげん》はらんぼうでいやだ。

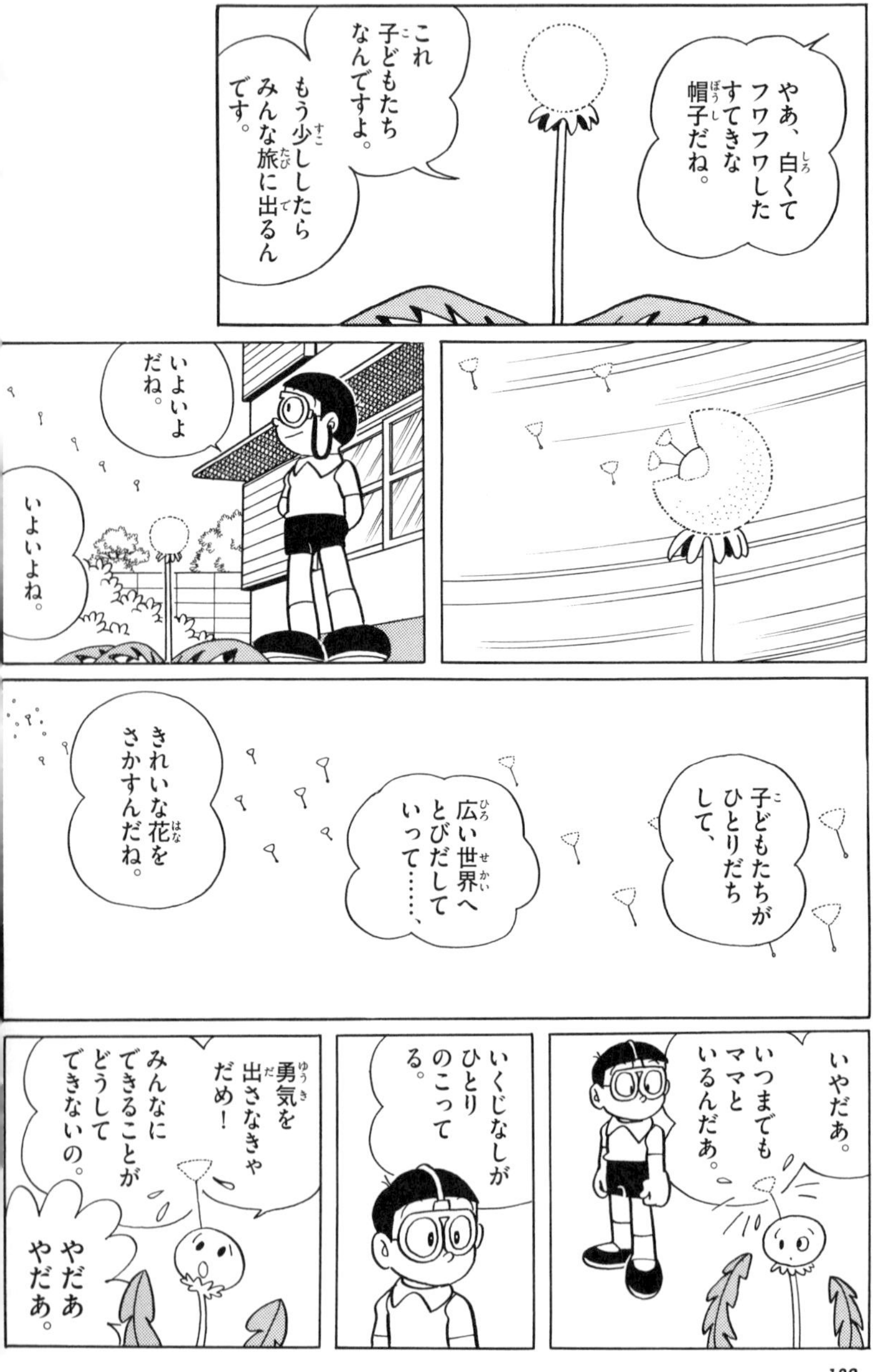
やあ、白《しろ》くてフワフワしたすてきな帽子《ぼうし》だね。
これ子《こ》どもたちなんですよ。
もう少《すこ》ししたらみんな旅《たび》に出《で》るんです。
いよいよだね。
いよいよね。
子《こ》どもたちがひとりだちして、
広《ひろ》い世界《せかい》へとびだしていって……、
きれいな花《はな》をさかすんだね。
いやだあ。いつまでもママといるんだあ。
いくじなしがひとりのこってる。
勇気《ゆうき》を出《だ》さなきゃだめ！
みんなにできることがどうしてできないの。
やだあやだあ。

心《こころ》の不思議《ふしぎ》Q&A《キューアンドエー》

Q ザトウクジラは、何《なに》を使《つか》ってコミュニケーションをとる？

①動《うご》き　②におい　③歌《うた》

A
③歌《うた》 ザトウクジラは、歌《うた》のようにも聞《き》こえる複雑《ふくざつ》な音《おと》によって海中《かいちゅう》でコミュニケーションをとっているよ。

一生《いっしょう》けんめい
いい聞《き》かせて
いるらしい。
タンポポの
おかあさんも
たいへんだな。
どうした
かな……、
タンポポの
ぼうや。
話《はな》し声《ごえ》が
聞《き》こえる。
そうよ、
ママも風《かぜ》にのって
とんできたのよ。
どこ
から
？
ママのママって
どこにはえて
いたの？
遠《とお》い遠《とお》い
……、
山奥《やまおく》の
駅《えき》のそば。

ある晴《は》れた日《ひ》、おおぜいの兄弟《きょうだい》たちといっしょにとびたったの。
こわくなかった？
ううん、ちっとも。
はじめて見《み》る広《ひろ》い世界《せかい》が楽《たの》しみだったわ。
つかれると列車《れっしゃ》の屋根《やね》におりて……、
ゴトゴトゆれながらひるねしたの。
夜《よる》になるとちょっぴりさびしくなって泣《な》いたけど、
お月《つき》さまがなぐさめてくれたっけ。

心《こころ》の不思議《ふしぎ》Q&A《キューアンドエー》

Q ゴリラのオスが自分《じぶん》の胸《むね》をたたくのは何《なん》のため？

①危険《きけん》を知《し》らせる　②強《つよ》さをアピールする　③求愛《きゅうあい》する

A ②強《つよ》さをアピールする　ゴリラのオスは、胸《むね》をドンドンとたたくことで他《ほか》のオスに自分《じぶん》の強《つよ》さをアピールし、戦《たたか》う意欲《いよく》を失《うしな》わせているよ。

ソヨ
ソヨ
あっ、とびたった!
心配《しんぱい》だ。
見《み》てくる。
キョロ
キョロ
タンポポのタネを知《し》らない?
あっち。
おーい、
だいじょうぶかい。

心《こころ》の不《ふ》思《し》議《ぎ》Q&A《キューアンドエー》

Q「ミラーニューロン」の発見《はっけん》のきっかけになった動物《どうぶつ》は?

①イヌ ②ウシ ③サル

うん。
思《おも》ったほどこわくない。
どこへ行《い》くつもり?
わかんないけど……、
だけどきっとどこかできれいな花《はな》をさかせるよ。
ママに心配《しんぱい》しないでと伝《つた》えて。
がんばれよう。
ぼくも………、
入《い》れてもらおうかな。

A ③サル　ミラーニューロンは、サルの神経細胞《しんけいさいぼう》の活動《かつどう》を調《しら》べる実験中《じっけんちゅう》に偶然発見《ぐうぜんはっけん》されたものだよ。

うそつきかがみ

今《いま》まで、ぼくの顔《かお》はまんがみたいだと思《おも》っていたけど、
こ、これはほんとにぼくだろうか!!
ぼくが、こんなにハンサムだったとは……。
ひょっとしたらぼく……。
世界《せかい》一の美男子《びなんし》じゃ、ないかしら。
そうです。
あなたさまは、世界《せかい》一なのです。
かがみがしゃべった。
わたしは真実《しんじつ》をうつし真実《しんじつ》をかたります。
忘《わす》れてた。
しまっとこう。
おもしろいかがみをもってるな。

「うそつきかがみ」だよ。
「うそつきかがみ」!?
あまり見《み》ないほうがいい。
あれがおせじ？
そうかなあ……。
ちがう!!
あれこそぼくの真実《しんじつ》のすがただ。
もう一度《いちど》見《み》たいなあ。
ガチャン
なんだなんだ。
家《いえ》の中《なか》でボーリングするなんて!!

心《こころ》の不思議《ふしぎ》Q&A《キューアンドエー》

Q 脳《のう》の活動領域《かつどうりょういき》を目《め》に見《み》えるようにする技術《ぎじゅつ》を何《なん》と呼《よ》ぶ？

①ySOS《ワイエスオーエス》 ②fMRI《エフエムアールアイ》 ③rDOG《アールディーオージー》

まあまあ、いいじゃないの。ドラえもんだってわざとやったわけじゃなし。
かわりをだしな、ほらあのかがみ。
かがみがあるなら、だしてよ。
こ、これは……。
しばらくかしてくれてもいいでしょ。
そうだそうだ。
まあ、あ、あ。
おくさまは世界《せかい》一の美人《びじん》です。
そうかもねえ……。
ウットリ
それで、かみをちょんまげになされば、さらにすてきです。
あら、そうかしら。
美容院《びよういん》へ行《い》ってこよっと。

A ②fMRI《エフエムアールアイ》 機能的磁気共鳴画像法《きのうてきじききょうめいがぞうほう》ともいう。脳《のう》が活動《かつどう》している場所《ばしょ》をリアルタイムに測定《そくてい》し、画像《がぞう》で確認《かくにん》することができる技術《ぎじゅつ》なんだ。

心《こころ》の不思議《ふしぎ》Q&A《キューアンドエー》
Q 人《ひと》が睡眠中《すいみんちゅう》に見《み》た夢《ゆめ》に出《で》てきたものを推測《すいそく》する技術《ぎじゅつ》がある。本当《ほんとう》？ ウソ？

ガチャ
かがみよ、かがみ。
世界中《せかいじゅう》でいちばん美《うつく》しいのは、だれかしら。
それはもちろんあなたさま。
やっぱり。
だけどおかしいな。いままでだれもそんなこといわないよ。
目《め》だたないからです。ちょっと表情《ひょうじょう》をくふうすれば、いちだんとハンサムになります。
どうすればいいか、教《おし》えて!!
おやすいごようです。
ちょっとまゆをよせて……、そうそう重《おも》みがでました。
口《くち》もとはきりりと、男性的《だんせいてき》に。
かみはむぞうさな感《かん》じにみだします。
目《め》はたがいちがいに。

A 本当《ほんとう》 まだ実験段階《じっけんだんかい》だけれど、夢《ゆめ》を見《み》ているときの脳《のう》の活動《かつどう》を分析《ぶんせき》し、人《ひと》の夢《ゆめ》に何《なに》が登場《とうじょう》したのかをある程度《ていど》推測《すいそく》できる技術《ぎじゅつ》があるよ。

返《かえ》さないとひどいぞっ。

ネズミ!

キャ。

わたしは、いつもほんとのことしかもうしません。

そうだろ、ぼくもそう思《おも》うんだ。

見《み》る目《め》のないひとに、どんな美《うつく》しいものを見《み》せてもむだです。ブタにしんじゅを見《み》せるようなものです。

ドラえもんなんかだめだい。

ほかの人《ひと》に見《み》せよう。

心《こころ》の不《ふ》思《し》議《ぎ》Q&A《キューアンドエー》

Q 人間《にんげん》の脳《のう》の構造《こうぞう》を真似《まね》たコンピュータを何《なん》と呼《よ》ぶ?

①ニューロコンピュータ　②ヒューマンコンピュータ

A ①ニューロコンピュータ　従来《じゅうらい》のコンピュータより性能《せいのう》の高《たか》い、脳《のう》の機能《きのう》や構造《こうぞう》を模《も》した脳型《のうがた》コンピュータの開発《かいはつ》が進《すす》んでいるよ。

ウヒ……、
ウヒウヒ
ウヒヒ。
ムス!
バレーボールの練習《れんしゅう》にでかけてますけど。
へんな顔《かお》してどうしたの。おなかでもこわしたの。
あら、かがみ……。
あなたは美《うつく》しい。でも、わたしのいうとおりにすれば世界《せかい》一になれます。
まあ、ほんと!?
こうね。
おお、まぶしいような美《うつく》しさ!

心《こころ》の不《ふ》思《し》議《ぎ》Q&A《キューアンドエー》

Q 脳研究《のうけんきゅう》が悪《わる》いことに利用《りよう》されないための「倫理《りんり》」を研究《けんきゅう》する学問《がくもん》がある。本当《ほんとう》？ ウソ？

A 本当《ほんとう》 脳研究《のうけんきゅう》にまつわる倫理的《りんりてき》な問題《もんだい》を考《かんが》える「ニューロエシックス」という学問《がくもん》があるよ。

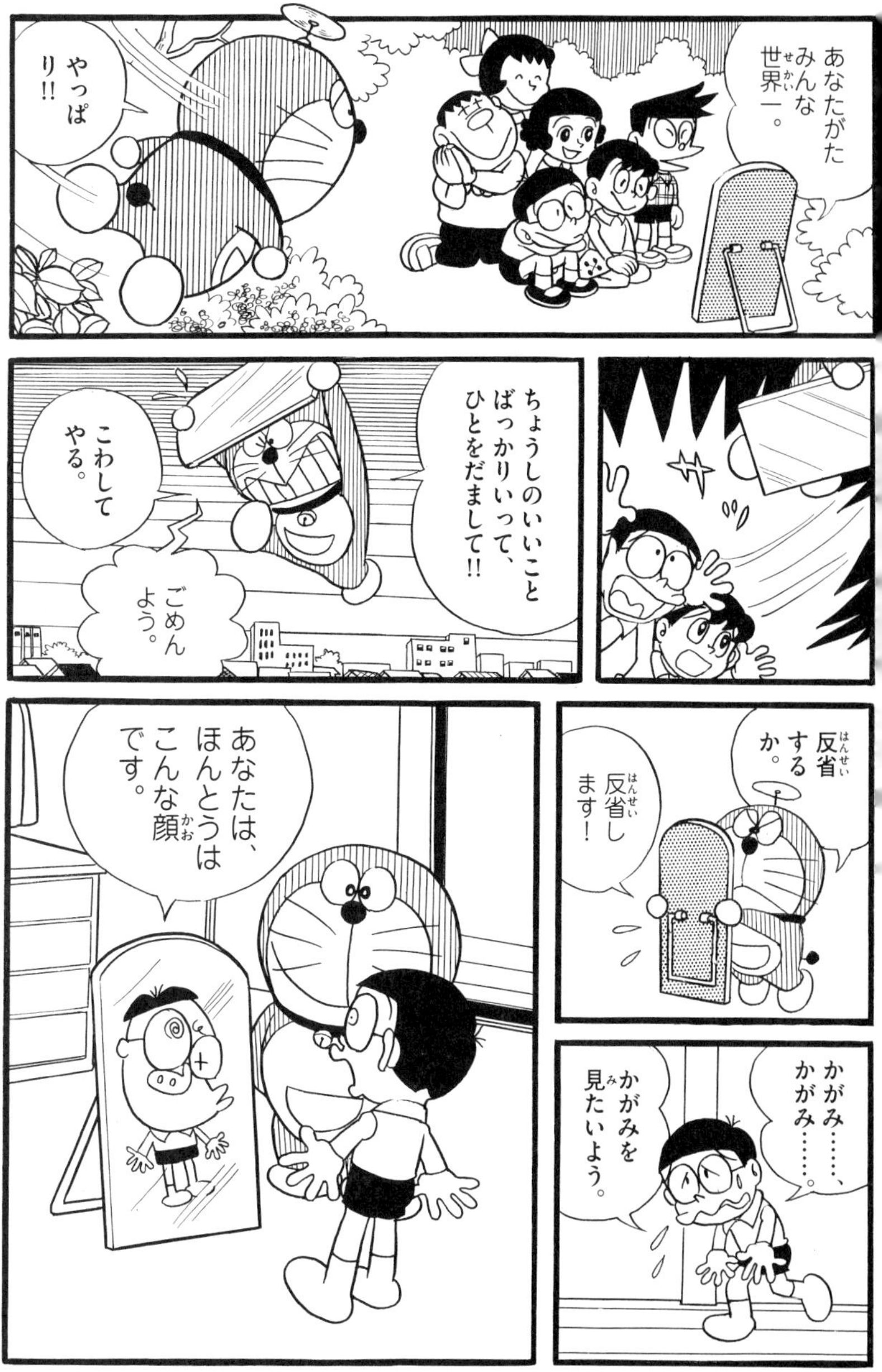

第《だい》6章《しょう》　心《こころ》は人間《にんげん》だけのもの？

動物《どうぶつ》にも心《こころ》はあるの？

動物《どうぶつ》に感情《かんじょう》はある？

ここまで、人間《にんげん》の「心《こころ》」について紹介《しょうかい》してきたけれど、動物《どうぶつ》にも心《こころ》はあるのかな？　まずは、第《だい》3章《しょう》で解説《かいせつ》した感情《かんじょう》を動物《どうぶつ》はもっているのか考《かんが》えてみよう。

結論《けつろん》からいえば、動物《どうぶつ》がどこまで細《こま》かい感情《かんじょう》をもっているのか、正確《せいかく》なところはまだわかっていない。

ただし、動物《どうぶつ》が確実《かくじつ》にもっているとされる感情《かんじょう》がひとつある。それは、「こわい」という感情《かんじょう》だ。なかでも「恐《きょう》怖《ふ》」は、動物《どうぶつ》が危険《きけん》から身《み》を守《まも》ったり、危険《きけん》を避《さ》けたりするために欠《か》かせない感情《かんじょう》だから、ネズミなどの比較的《ひかくてき》原始的《げんしてき》な動物《どうぶつ》でも発達《はったつ》していることが多《おお》いんだ。

実《じつ》は、感情《かんじょう》のなかでも「心地《ここち》よくない」感情《かんじょう》の方《ほう》が、動《どう》物《ぶつ》が天敵《てんてき》や危険《きけん》から身《み》を守《まも》り、生《い》き延《の》びるためには、重《じゅう》要《よう》な意味《いみ》をもつことが多《おお》い。だから動物《どうぶつ》は、「心地《ここち》よくない」感情《かんじょう》をもつことはあっても、楽《たの》しい、うれしいといった「心地《ここち》よい」感情《かんじょう》は、人間《にんげん》ほど感《かん》じることができないだろうと考《かんが》えられているよ。

「笑《わら》う」ことができるのは人間《にんげん》だけ

「笑顔《えがお》」をつくることができるのも、人間《にんげん》だけって知《し》っていた？　笑顔《えがお》をつくる表情筋《ひょうじょうきん》が、動物《どうぶつ》は人間《にんげん》ほど発達《はったつ》していないから、相手《あいて》を「威嚇《いかく》する」表情《ひょうじょう》をつくることができる動物《どうぶつ》はいるけれど、笑顔《えがお》をつくることは難《むずか》しいんだ。

そもそも、「笑《わら》い」という概念《がいねん》は、人間《にんげん》ならではのものだといわれている。赤《あか》ちゃんは、だれに教《おし》えられたわけでもないのに、笑《わら》うことができるよね。どうして人間《にんげん》だけが、笑《わら》うことができるのかは、まだよくわかっていない。けれど一説《いっせつ》では、自分《じぶん》が「今《いま》、幸《しあわ》せな状《じょう》態《たい》にある」ことを他者《たしゃ》に伝《つた》えるためにあるものだと考《かんが》えられている。笑顔《えがお》の意味《いみ》は、世界中《せかいじゅう》どこに行《い》っても同《おな》じ。笑《わら》うことは、

▲万国共通《ばんこくきょうつう》の「笑顔《えがお》」は、言葉《ことば》を使《つか》わなくても、相手《あいて》に意思《いし》を伝《つた》えることができるね。

人間《にんげん》ならではのコミュニケーションツールといえるかもしれないね。

魚《さかな》は痛《いた》みを感《かん》じる？

魚《さかな》が痛《いた》みを感《かん》じるのか、気《き》になったことはない？

2003年《ねん》、ペンシルベニア州立大学《しゅうりつだいがく》のブレイスウェイト博士《はかせ》たちは、「魚《さかな》は痛《いた》みを感《かん》じているだろう」とする論文《ろんぶん》を発表《はっぴょう》した。魚《さかな》には、人間《にんげん》と似《に》たような「痛覚系《つうかくけい》」の神経回路《しんけいかいろ》があり、外《そと》から刺激《しげき》を受《う》けると、呼吸《こきゅう》が速《はや》まったり、注意力《ちゅういりょく》が散漫《さんまん》になったりする。そしてこうした状態《じょうたい》には、人間《にんげん》が使《つか》う「鎮《ちん》痛剤《つうざい》」が効《き》くんだって。これらの研究《けんきゅう》から、おそらく、魚《さかな》にも痛《いた》みはあるだろうということが推測《すいそく》できるんだ。

けれども、魚《さかな》が人間《にんげん》と同《おな》じような痛《いた》みを感《かん》じているのかは、ナゾ。魚《さかな》になってみないとわからないよね。

ちなみに、同《おな》じ人間《にんげん》でも、痛《いた》みの感《かん》じ方《かた》には個人差《こじんさ》があることがわかっている。これは、痛《いた》みを感《かん》じる神経回路《しんけいかいろ》に関係《かんけい》する遺伝子《いでんし》が人《ひと》によってちがうから。隣《となり》の人《ひと》とまったく同《おな》じ刺激《しげき》を受《う》けたとしても、それをどれくらい「痛《いた》く感《かん》じる」のかは、人《ひと》によってちがうんだ。

動物《どうぶつ》に心《こころ》があるのか みんなも想像《そうぞう》してみよう

動物《どうぶつ》や植物《しょくぶつ》が心《こころ》をもつのかどうかは、残念《ざんねん》だけど、今《いま》のところ確実《かくじつ》な答《こた》えはない。でも、大切《たいせつ》にしているペットや、心《こころ》をこめて育《そだ》てた植物《しょくぶつ》に、自分《じぶん》の「心《こころ》」が通《つう》じたと感《かん》じる瞬間《しゅんかん》はあるよね。そういう思《おも》いを大切《たいせつ》にすると、きみの心《こころ》にとって、とてもいい効果《こうか》があるはずだよ。

人間同士《にんげんどうし》だって、他人《たにん》の「心《こころ》」を見《み》ることはできないよね。相手《あいて》の気持《きも》ちを想像《そうぞう》することしかできないのは、動物《どうぶつ》も植物《しょくぶつ》も、人間《にんげん》でも同《おな》じなんだ。みんなも、動物《どうぶつ》や植物《しょくぶつ》に心《こころ》があるのかどうか、自分《じぶん》なりに考《かんが》えてみると楽《たの》しいんじゃないかな。

▲言葉《ことば》を使《つか》わなくても、動物《どうぶつ》とコミュニケーションをとる方法《ほうほう》はあるよね。

ロボット（人工《じんこう》知能《ちのう》）は心《こころ》をもつ？

ロボットに心《こころ》はある？

掃除《そうじ》ロボットや人型《ひとがた》ロボットなど、生活《せいかつ》のなかでロボットを見《み》かける機会《きかい》は増《ふ》えてきているよね。人工知能《じんこうちのう》（Ａ《エー》Ｉ《アイ》）を搭載《とうさい》したスマートスピーカーなども出《で》てきていて、ロボットや人工知能《じんこうちのう》はだんだんと身近《みぢか》な存在《そんざい》になってきた。ここからは、小説《しょうせつ》や映画《えいが》など、創作作品《そうさくさくひん》のテーマになることも多《おお》い、「ロボット（人工知能《じんこうちのう》）は、心《こころ》をもつか？」という問題《もんだい》について考《かんが》えてみよう。

ロボットも「うつ」になる!?

学習《がくしゅう》の結果《けっか》に対《たい》する「満足《まんぞく》」の度合《どあ》いを根拠《こんきょ》に次《つぎ》の行《こう》動《どう》を決《き》め、それをくり返《かえ》すことで学習《がくしゅう》していくことを「強化学習《きょうかがくしゅう》」という。いろいろな方法《ほうほう》を試《ため》しながら、「いちばんいい方法《ほうほう》」を自分《じぶん》で見《み》つけていくのが特徴《とくちょう》で、最《さい》近《きん》の人工知能《じんこうちのう》のなかには、この強化学習《きょうかがくしゅう》のプログラムが組《く》み込《こ》まれたものがあるんだ。

実《じつ》は、この強化学習《きょうかがくしゅう》をくり返《かえ》した人工知能《じんこうちのう》のなかには、人間《にんげん》の「うつ」と同《おな》じような状態《じょうたい》になる個体《こたい》があることがわかっている。

人工知能《じんこうちのう》に「報酬《ほうしゅう》」と「罰《ばつ》」に基《もと》づいて行動《こうどう》を学《まな》ばせる強化学習《きょうかがくしゅう》を行《おこな》うと、一部《いちぶ》の人工知能《じんこうちのう》は、「報酬《ほうしゅう》より罰《ばつ》がこわい」と判断《はんだん》して、強化学習《きょうかがくしゅう》に消極的《しょうきょくてき》になることがあるんだって。こうした反応《はんのう》は、人間《にんげん》に似《に》ているよね。こう考《かんが》えてみると、「人工知能《じんこうちのう》も、感情《かんじょう》をもつ可能性《かのうせい》がある」といえるかもしれないね。

悩《なや》みを聞《き》く人工知能《じんこうちのう》

もしも、「ロボットの悩《なや》みごと相談室《そうだんしつ》」があったら、みんなは行《い》ってみたい？　ロボットに悩《なや》みを聞《き》いてもらうなんて、なんだか味気《あじけ》ない感《かん》じがするかな。

実《じつ》は、人工知能《じんこうちのう》が行《おこな》うカウンセリングの実験《じっけん》は、１９６０年代《ねんだい》から始《はじ》まっている。利用者《りようしゃ》のなかには、「何《なん》時間《じかん》でも根気《こんき》よく話《はなし》を聞《き》いてくれる」「人間《にんげん》には言《い》いにくい悩《なや》みごとも打《う》ち明《あ》けられる」などの理由《りゆう》で、人間《にんげん》よりも人工知能《じんこうちのう》のカウンセラーの方《ほう》が話《はな》しやすいと感《かん》じた人《ひと》もいるんだって。もしかすると、近《ちか》い未来《みらい》、「人工知能《じんこうちのう》カウンセラー」は特別《とくべつ》な存在《そんざい》じゃなくなるのかもしれないよ。

「創作《そうさく》」ができる人工知能《じんこうちのう》

人工知能《じんこうちのう》と人間《にんげん》のちがいは、「創造力《そうぞうりょく》」だといわれることがある。人工知能《じんこうちのう》には、創作《そうさく》する「心《こころ》」はないという意《い》味《み》だ。実《じつ》は、これはまちがい。人工知能《じんこうちのう》も、文章《ぶんしょう》や詩《し》を創《そう》作《さく》することができるんだ。

例《たと》えば、「ニュース記事《きじ》」。人工知能《じんこうちのう》が自動作成《じどうさくせい》したニュース記事《きじ》は、すでに配信《はいしん》されている。実際《じっさい》にアメリカには、人工知能《じんこうちのう》が自《じ》動作成《どうさくせい》する記事《きじ》を配《はい》信《しん》している会社《かいしゃ》がいくつもあって、年間《ねんかん》10億本以上《おくほんいじょう》の記事《きじ》を提供《ていきょう》しているというから、すごいよね。記《き》事《じ》のなかでも、「データ分析《ぶんせき》」が内容《ないよう》の要《かなめ》となるスポーツや経済《けいざい》、

▲人工知能《じんこうちのう》は「詩《し》」を書《か》くこともできる。人工知《じんこうち》能《のう》が書《か》いたシェイクスピア風《ふう》の詩《し》を、本物《ほんもの》と見分《みわ》けるコンテストが行《おこな》われたこともあるよ。

天気予報《てんきよほう》は、人工知能《じんこうちのう》の得意分野《とくいぶんや》なんだって。「創造力《そうぞうりょく》は人間《にんげん》だけのものだ」と言《い》い切《き》ることはできないんだね。

「人工知能《じんこうちのう》は心《こころ》をもつか？」は「心《こころ》とはなにか？」を考《かんが》えること

「動物《どうぶつ》に心《こころ》はある？」という問《と》いと同《おな》じく、人工知能《じんこうちのう》に心《こころ》があるのかどうか、今《いま》のところ明確《めいかく》な「答《こた》え」は出《だ》されていない。その理由《りゆう》には、人工知能《じんこうちのう》が発展途上《はってんとじょう》で、今後《こんご》どこまで「人間《にんげん》に近《ちか》づく」のかわからないことや、「心《こころ》とはなにか」に明確《めいかく》な答《こた》えがないことなどがある。

もし、「心《こころ》とは、感情《かんじょう》をもつことである」などのわかりやすい定義《ていぎ》があるなら、「人工知能《じんこうちのう》は感情《かんじょう》をもつ。だから、心《こころ》がある」と結論《けつろん》づけることも簡単《かんたん》だよね。けれど、心《こころ》のとらえ方《かた》には正解《せいかい》がないから、この疑問《ぎもん》にわかりやすい答《こた》えを出《だ》すことも難《むずか》しいんだ。

人工知能《じんこうちのう》の心《こころ》を考《かんが》えることは、「心《こころ》とはなにか？」を深《ふか》く考《かんが》えることとつながっているんだね。

▲きみは、ロボットに心《こころ》はあると思《おも》う？ 考《かんが》えてみよう。

「心《こころ》」の未来《みらい》はどうなる？

「心《こころ》」にまつわる最新《さいしん》の研究《けんきゅう》

人間《にんげん》の心《こころ》の研究《けんきゅう》は、紀元前《きげんぜん》の時代《じだい》から行《おこな》われてきたことは、第《だい》1章《しょう》でも紹介《しょうかい》したよね。心《こころ》の研究《けんきゅう》は、新《あたら》しい道具《どうぐ》の発明《はつめい》や技術《ぎじゅつ》の進歩《しんぽ》とともに進《すす》められてきた。

ここからは、そんな「心《こころ》」についての最新《さいしん》の研究《けんきゅう》を紹介《しょうかい》していくよ。

念《ねん》じるだけで物《もの》を動《うご》かすことができるブレイン・マシン・インターフェイス

「動《うご》け」と心《こころ》のなかで思《おも》うだけで物《もの》を動《うご》かせるとしたら、みんなはなにを動《うご》かしてみたい？

人間《にんげん》の脳《のう》の情報《じょうほう》を計測《けいそく》・分析《ぶんせき》し、それをもとに機械《きかい》やコンピュータを動《うご》かす技術《ぎじゅつ》のことを「ブレイン・マシン・インターフェイス（BMI《ビーエムアイ》）」という。現在《げんざい》、多《おお》くの国《くに》や企業《きぎょう》がBMI《ビーエムアイ》の研究《けんきゅう》を進《すす》めていて、その実現《じつげん》をめざしている。最新《さいしん》の研究《けんきゅう》のなかには、脳波《のうは》と脳《のう》の血流《けつりゅう》を測定《そくてい》・解析《かいせき》し、ロボットを動《うご》かすことに成功《せいこう》した事例《じれい》も報告《ほうこく》されているよ。

今《いま》はまだ研究《けんきゅう》の段階《だんかい》で、実用化《じつようか》はされていないけれど、BMI《ビーエムアイ》が実現《じつげん》すれば、義足《ぎそく》や義手《ぎしゅ》、車《くるま》いすなどを自分《じぶん》の意思《いし》で動《うご》かしたり、重《おも》い荷物《にもつ》を思《おも》い通《どお》りに運《はこ》んだりすることも可能《かのう》になるかもしれない。また、手《て》を触《ふ》れずにコンピュータを動《うご》かして、文字《もじ》を打《う》ったり、ゲームをしたりすることもできるようになるかもしれないんだ。そんな未来《みらい》を想像《そうぞう》すると、わくわくするよね。

▲近《ちか》い将来《しょうらい》、念《ねん》じるだけで機械《きかい》を動《うご》かすことができるようになるかも？

iPS《アイピーエス》細胞《さいぼう》が脳研究《のうけんきゅう》の可能性《かのうせい》を広《ひろ》げる

みんなは、iPS《アイピーエス》細胞《さいぼう》って知《し》っている？　iPS《アイピーエス》細胞《さいぼう》とは、「さまざまな細胞《さいぼう》になる能力《のうりょく》」をもった細胞《さいぼう》のこと。

けがや病気《びょうき》で損傷《そんしょう》した細胞《さいぼう》や臓器《ぞうき》を再生《さいせい》し、治療《ちりょう》する「再生医療《さいせいいりょう》」の分野《ぶんや》で注目《ちゅうもく》されていて、2012年《ねん》には、iPS細胞《アイピーエスさいぼう》の研究《けんきゅう》で、京都《きょうと》大学《だいがく》の山中伸弥教授《やまなかしんやきょうじゅ》がノーベル医学《いがく》・生理学《せいりがく》賞《しょう》を受賞《じゅしょう》している。実《じっ》は、このiPS細胞《アイピーエスさいぼう》を使《つか》った「脳《のう》」の培養《ばいよう》も実現《じつげん》されているんだ。

▲「iPS脳《アイピーエスのう》に心《こころ》はあるか？」には、さまざまな考《かんが》え方《かた》があるよ。

この「iPS脳《アイピーエスのう》」の実現《じつげん》は、脳研究《のうけんきゅう》を進《すす》めるうえでも、大《おお》きく2つのメリットがある。ひとつは、脳《のう》の発達《はったつ》をくわしく観察《かんさつ》することができるようになること。もうひとつは、脳《のう》の病気《びょうき》の解明《かいめい》だ。iPS脳《アイピーエスのう》を使《つか》って脳疾患《のうしっかん》の研究《けんきゅう》が進《すす》めば、病気《びょうき》の原因解明《げんいんかいめい》や治療法《ちりょうほう》の開発《かいはつ》にも役立《やくだ》つだろうと考《かんが》えられているよ。

また、iPS脳《アイピーエスのう》でさまざまな研究《けんきゅう》の可能性《かのうせい》が広《ひろ》がる一方《いっぽう》で、iPS脳《アイピーエスのう》に、「心《こころ》」はあるのかという議論《ぎろん》も起《お》こっている。今後《こんご》、iPS細胞《アイピーエスさいぼう》の研究《けんきゅう》が進《すす》むにつれて、新《あたら》しい「心《こころ》」のとらえ方《かた》というのが生《う》まれるかもしれないね。

技術革新《ぎじゅつかくしん》や時代《じだい》の変化《へんか》により「心《こころ》」の定義《ていぎ》も変《か》わっていく

人工知能《じんこうちのう》やiPS細胞《アイピーエスさいぼう》の登場《とうじょう》は、「心《こころ》の定義《ていぎ》」の議論《ぎろん》にも、変化《へんか》を与《あた》えることになった。

きっと今後《こんご》も、時代《じだい》の移《うつ》り変《か》わりに合《あ》わせて、心《こころ》のとらえ方《かた》も変化《へんか》していくだろう。ロボットや人工知能《じんこうちのう》の研究《けんきゅう》が進《すす》むことで、さらに人間《にんげん》の心《こころ》が深《ふか》く解明《かいめい》されるようになるかもしれないし、「人工知能《じんこうちのう》に『心《こころ》』はある」ということが常識《じょうしき》になることだってあるかもしれない。

一口《ひとくち》コラム 「マインドリーディング」で心《こころ》が読《よ》めるようになる!?

第《だい》1章《しょう》では、「人《ひと》の心《こころ》を読《よ》むことはできない」と紹介《しょうかい》したけれど、実《じつ》はこれ、絶対《ぜったい》に不可能《ふかのう》なことではないかもしれないんだ。その第一歩《だいいっぽ》ともいえるのが、脳《のう》内《ない》の信号《しんごう》のパターンを分析《ぶんせき》し、読《よ》み解《と》くことで心《こころ》のなかを知《し》る「マインドリーディング」の研究《けんきゅう》だ。マインドリーディングとは、直接心《ちょくせつこころ》のなかを見《み》るのではなく、脳《のう》の信号《しんごう》をコンピュータで分析《ぶんせき》することで、心《こころ》のなかの様子《ようす》を再現《さいげん》する技術《ぎじゅつ》。「心《こころ》を読《よ》む」とまではいかないけれど、その人《ひと》が今《いま》、どんな文字《もじ》や画像《がぞう》を見《み》ているのか、おおよそのことを外《そと》から推測《すいそく》する実験《じっけん》は、すでに成功《せいこう》しているんだって。

ローラー

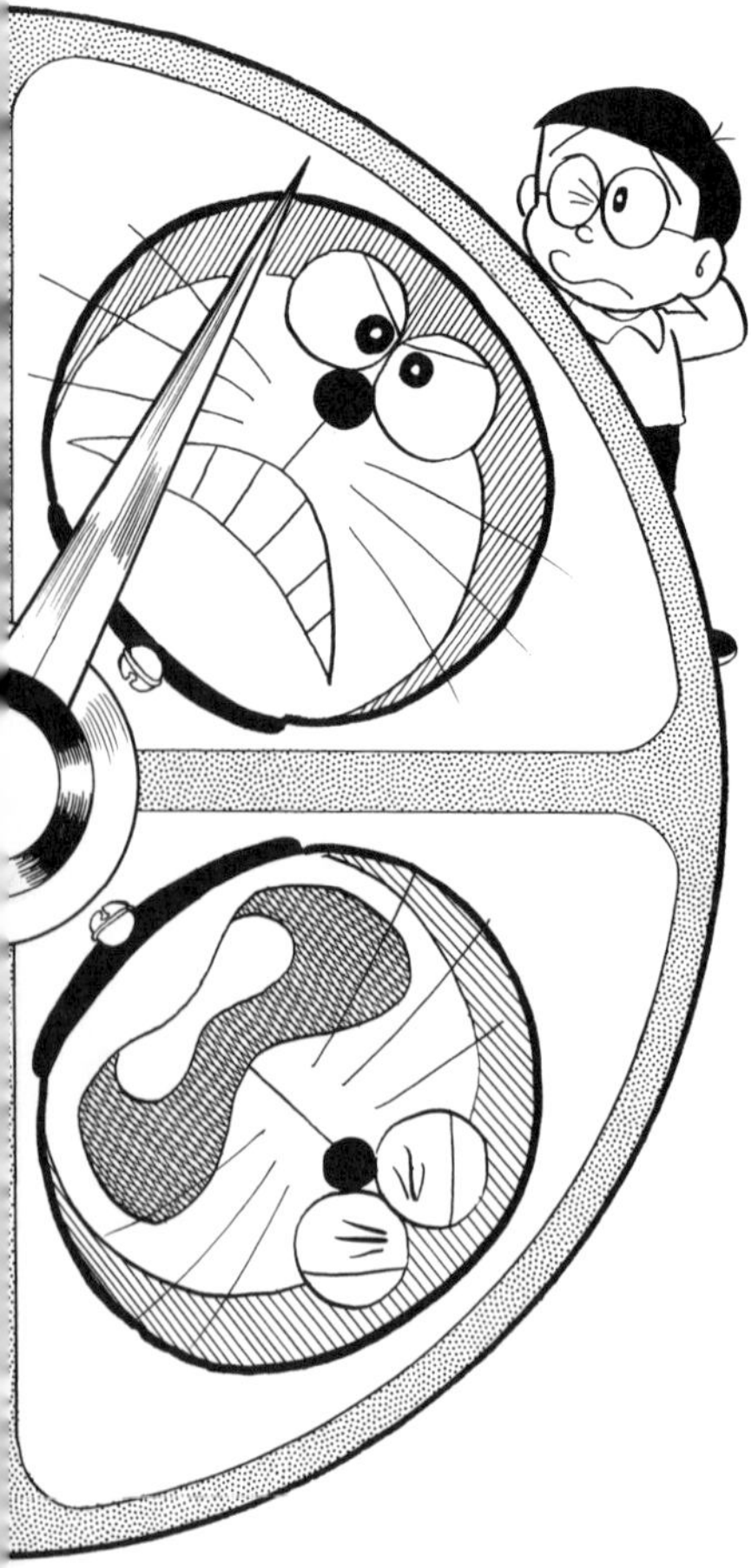

このあいだの遠足《えんそく》のスライドできたよ。
見《み》に行《い》っていい？
ぜひどうぞ。
おれたちも。
来《き》たけりゃおいで。
ムス！
あら、ムス子《こ》さん。
あなたもいらっしゃいよ。
ああっ、よけいなことを。

表情《ひょうじょう》コント

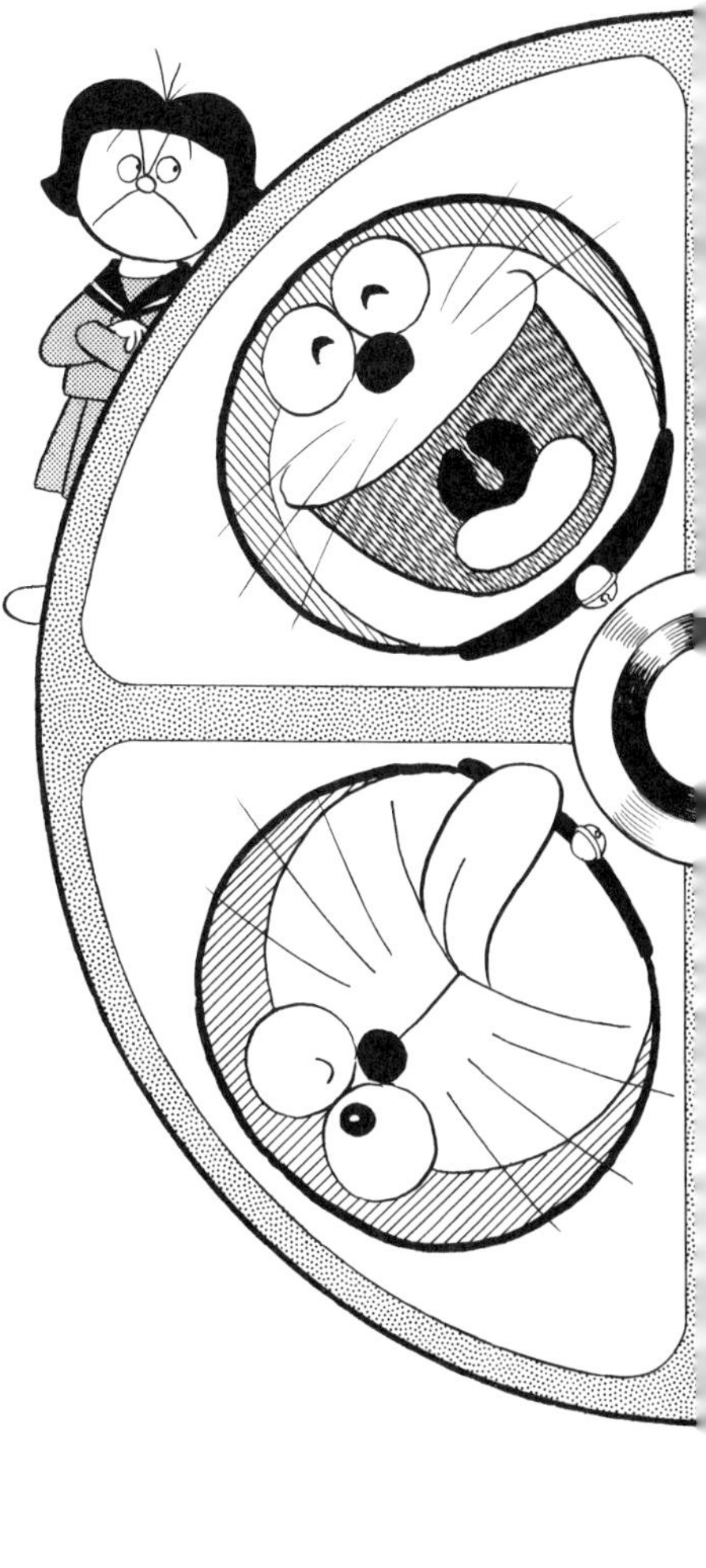

ムス！
見《み》たくないって。
よかった。
そんないいかたないでしょ！
どうしていつもなかまはずれにするのよ。
だって、あいつかんじ悪《わる》いよ。いつもムスーッとしてて。
そうなんだ。あの子《こ》がわらったの見《み》たことない。
あいつがそばにいるだけで気《き》が重《おも》くなるんだよな。

心《こころ》の不思議《ふしぎ》Q&A《キューアンドエー》 Q「催眠術《さいみんじゅつ》」は、科学的《かがくてき》に証明《しょうめい》されている。本当《ほんとう》？ ウソ？

A 本当《ほんとう》 催眠状態《さいみんじょうたい》は、実際《じっさい》に起《お》こる脳《のう》の現象《げんしょう》。催眠療法《さいみんりょうほう》として、心《こころ》の不調《ふちょう》の治療《ちりょう》に使《つか》われることもあるよ。

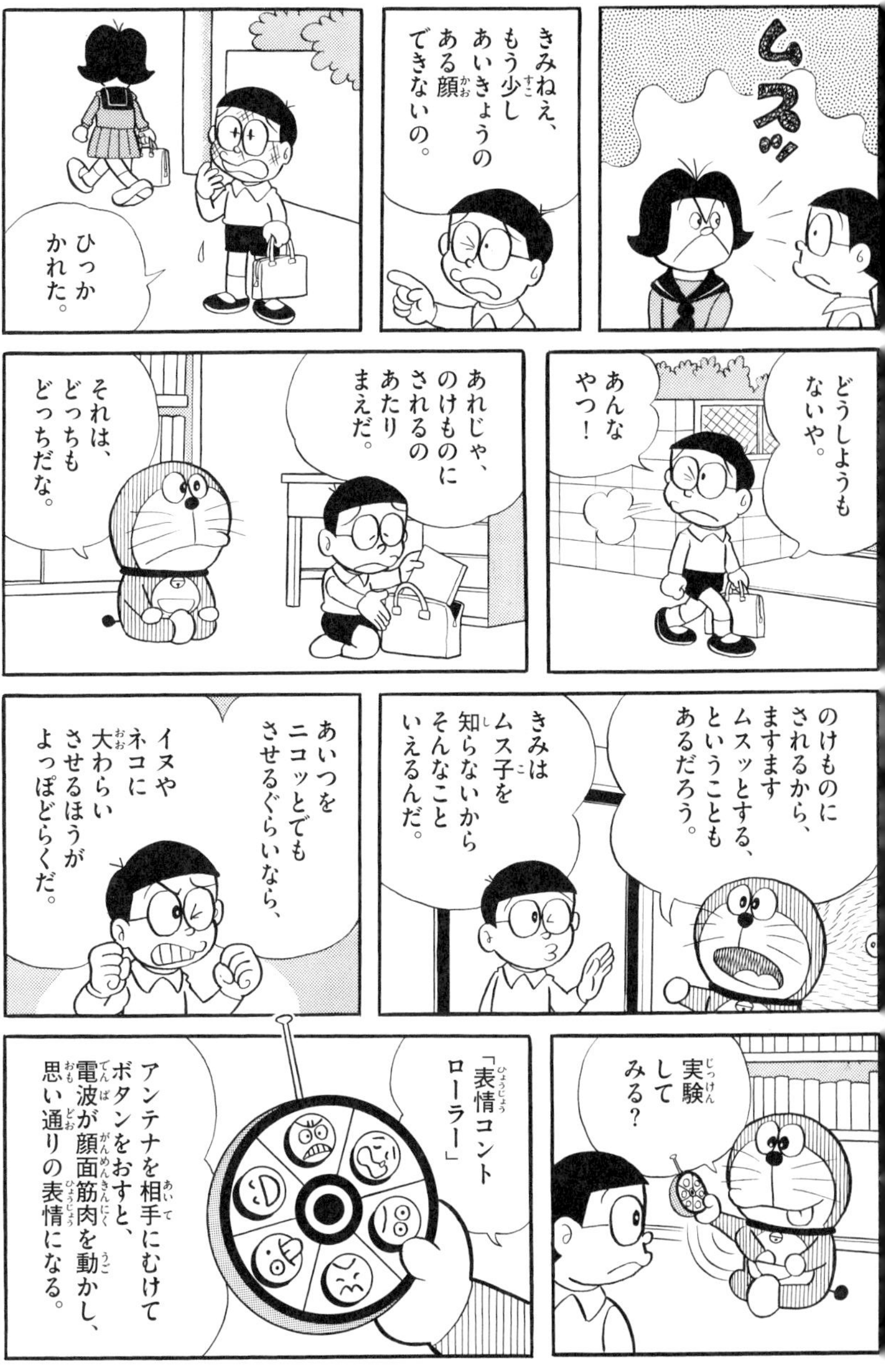

ムスッ
きみねえ、もう少《すこ》しあいきょうのある顔《かお》できないの。

ひっかかれた。

どうしようもないや。

あんなやつ！

あれじゃ、のけものにされるのあたりまえだ。

それは、どっちもどっちだな。

のけものにされるから、ますますムスッとする、ということもあるだろう。

きみはムス子《こ》を知《し》らないからそんなこといえるんだ。

あいつをニコッとでもさせるぐらいなら、
イヌやネコに大《おお》わらいさせるほうがよっぽどらくだ。

実験《じっけん》してみる？

「表情《ひょうじょう》コントローラー」

アンテナを相手《あいて》にむけてボタンをおすと、電波《でんぱ》が顔面筋肉《がんめんきんにく》を動《うご》かし、思《おも》い通《どお》りの表情《ひょうじょう》になる。

たとえばわらいボタンをおす。
カチ
パカッ
キッ
おこりボタン。
メソ
泣《な》きボタン。
ひとの顔《かお》をおもちゃにするな。
ベー
これを使《つか》ってさ、ムス子《こ》さんをニコニコさせてやれば、みんなもムス子《こ》さんを見《み》なおすと思《おも》うし……。
そのうちには彼女《かのじょ》の性格《せいかく》までかわるだろうとドラえもんはいうのだが…。
そううまくいくだろうか。
ひじょうにぎもんに思《おも》う!
ムスッ
なにが。
カチ
ムスッ
おどろいたなあ。ぜんぜんきかない。
ムスッ
ムスッ
グイ
グイ

心《こころ》の不思議《ふしぎ》Q&A《キューアンドエー》

Q 「催眠術《さいみんじゅつ》」にまったくかからない人《ひと》は、どれくらいいる?

①5%　②20%　③40%

A ②20%　催眠術《さいみんじゅつ》は、人《ひと》によってかかりやすさがあり、かかりやすい人《ひと》は10%、まったくかからない人《ひと》も20%いるよ。

ムズ
ムズ
あっ、かすかに口《くち》もとが。
グィ
グィ
グ
グ
グ
わらった!!
こりゃたいへんなきせきだ!
ど、どうしたのかしら、わたしがわらうなんて。
みんな、きみの来《く》るのを楽《たの》しみにしてるんだ。
おねがいだから来《き》てくれよ。
フン、うまいこといっちゃって、ひっかくぞ。このゴマスリメガネ。
わらいながら悪口《わるぐち》いっても迫力《はくりょく》でないわ。
…………。
行《い》ってやる。
ああ、よかった。
ほんとかよ?
ムス子《こ》が来《く》るって?
やっぱり!わたしなんかいないほうがいいんでしょ。そうでしょ。

こまるなあ。
グイ
パカ
ほらね!あんなによろこんでる。
アガ……アガ……。
で、でもみんなはどんな顔《かお》をするかな。
よけいな心配《しんぱい》はしなくていい!
ムス子《こ》さんが行《い》くならあたしも行《い》くわ。
ね、ね、うそじゃないだろう。
ゲッ。
グイ
ウエ〜〜、やっぱり来《き》たの。
あれはかんげいのことばだよ。
ああ、いそがしい。
グイ
パカ
アーッ

心《こころ》の不思議《ふしぎ》Q&A《キューアンドエー》

Q 最適《さいてき》な睡眠時間《すいみんじかん》の長《なが》さは、遺伝的《いでんてき》に決《き》まっていることが多《おお》い。本当《ほんとう》? ウソ?

A 本当《ほんとう》　最適《さいてき》な睡眠《すいみん》時間《じかん》の長《なが》さには個人差《こじんさ》があり、「長眠《ちょうみん》タイプ」「短眠《たんみん》タイプ」の体質《たいしつ》は、遺伝的決定《いでんてきけってい》の割合《わりあい》が大《おお》きいよ。

ハッピープロムナード

家《いえ》へ入《はい》るの気《き》がおもいな。
今日《きょう》のテスト0点《てん》だったからな。
そうだ。
しばらくしずちゃんと遊《あそ》ぼう。
しずちゃんと話《はな》してると、
心《こころ》がはればれするんだ。
ママにしかられたの。
テストで八十五点《てん》しかとれなかったからって、
もっともっと勉強《べんきょう》しろだなんて!
ぼくなんかどうすりゃいいんだ。
まえより心《こころ》が暗《くら》くなっちゃった。

ショボクレー
あのう……。
だめだろうな、どうせ。
なにが？
百科事典《ひゃっかじてん》のセールスマンです。
買《か》ってくれませんか。
勉強《べんきょう》の役《やく》にたちますよ。
きみも少《すこ》しは成績《せいせき》があがるかも……。
成績《せいせき》の話《はなし》なんかしないでよっ！
やっぱりね……。
いままでだあれも買《か》ってくれた人《ひと》なんていないもんね。
もう世《よ》の中《なか》がいやになった。
ヨロヨロ
だれもかれも、
よってたかってぼくの心《こころ》を暗《くら》くする。
なにもかもやになった。

心《こころ》の不思議《ふしぎ》Q&A《キューアンドエー》

Q うつ病《びょう》の発症《はっしょう》に関係《かんけい》が深《ふか》いとされる神経伝達物質《しんけいでんたつぶっしつ》の名前《なまえ》は？

①β《ベータ》エンドルフィン　②セロトニン　③ヒスタミン

A ②セロトニン　うつ病《びょう》の明確《めいかく》な原因《げんいん》はわかっていないけれど、セロトニンが不足《ふそく》することが原因《げんいん》のひとつであるという説《せつ》があるよ。

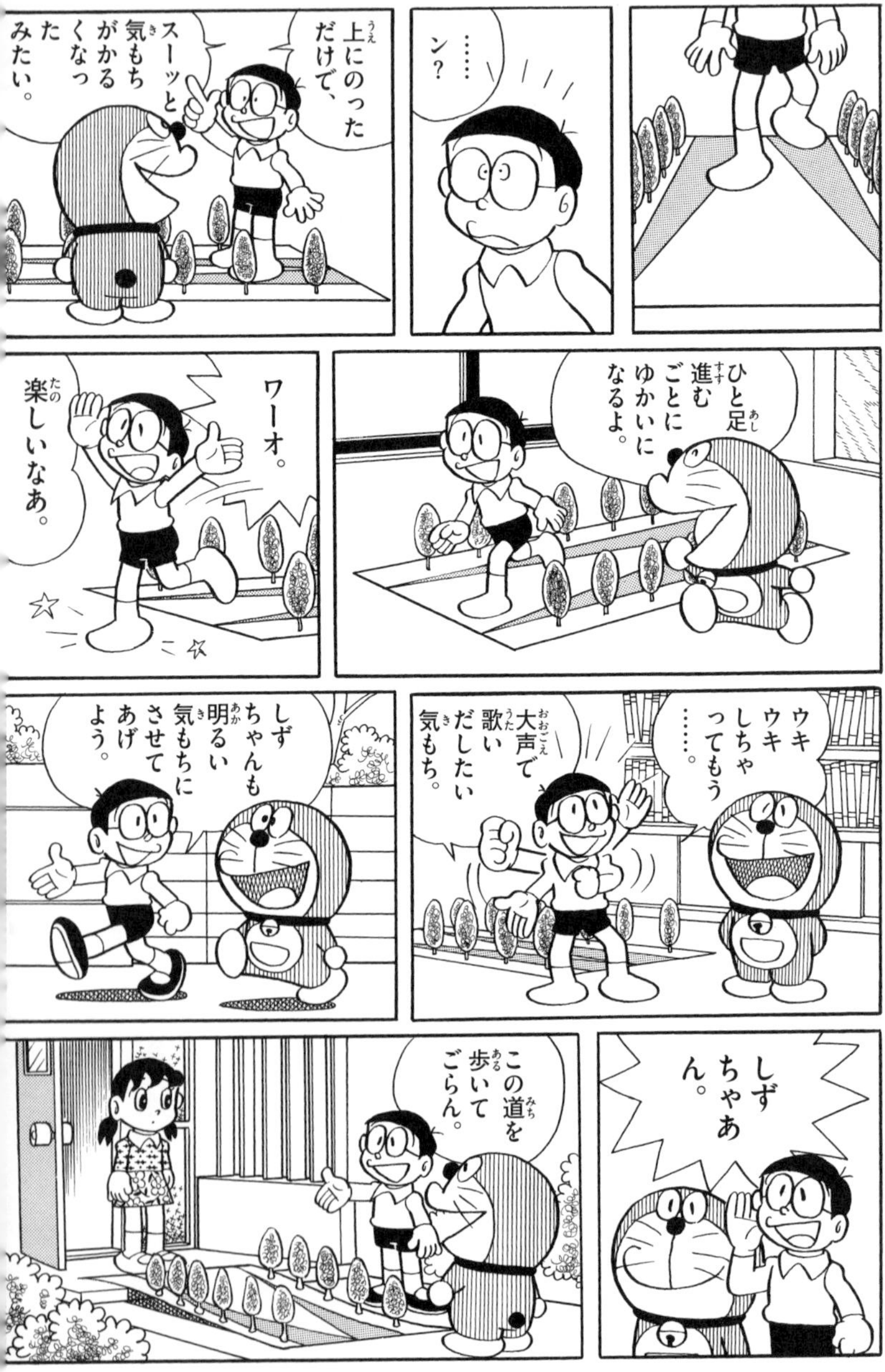
……ン？
上《うえ》にのっただけで、
スーッと気《き》もちがかるくなったみたい。
ひと足《あし》進《すす》むごとにゆかいになるよ。
ワーオ。
楽《たの》しいなあ。
ウキウキしちゃってもう……。
大声《おおごえ》で歌《うた》いだしたい気《き》もち。
しずちゃんも明《あか》るい気《き》もちにさせてあげよう。
しずちゃあん。
この道《みち》を歩《ある》いてごらん。

心《こころ》の不《ふ》思《し》議《ぎ》Q&A《キューアンドエー》

Q 風邪薬《かぜぐすり》や下痢《げり》止《ど》めには、集中《しゅうちゅう》を妨《さまた》げる効果《こうか》がある成分《せいぶん》が入《はい》っている場合《ばあい》がある。本当《ほんとう》？　ウソ？

A 本当《ほんとう》　集中力《しゅうちゅうりょく》に関係《かんけい》する脳波《のうは》「シータ波《は》」を発生《はっせい》させる「アセチルコリン」という物質《ぶっしつ》の働《はたら》きを妨害《ぼうがい》する成分《せいぶん》が入《はい》っているものがあるよ。

こう？
ね、ひと足《あし》ごとに気分《きぶん》が……。
シク…、シク…。
あ～っ、むきをまちがえた！
あべこべに歩《ある》くと暗《くら》あい気《き》もちになるんだ。
もういちどむこうへ歩《ある》いて。
元気《げんき》になってよかった。
あっ、さっきの人《ひと》だ。
どうせ売《う》れないだろうけど。
この家《いえ》へ入《はい》ってみよう。
あれじゃ売《う》れるわけないんだよ。

心《こころ》の不《ふ》思《し》議《ぎ》Q&A《キューアンドエー》

Q あることを記憶《きおく》したときと同《おな》じ香《かお》りを睡眠中《すいみんちゅう》にかぐと、その記憶《きおく》が強化《きょうか》されやすくなる。本当《ほんとう》？ ウソ？

待《ま》って、おじさん。
さあ、どうぞ。
なんのこっちゃ。
ごめんください！
おもしろくてためになる百科事典《ひゃっかじてん》！
売《う》れました!!
スネ夫《お》さんに聞《き》いたわ。
また0点《てん》とったのね。
ママだ！

A 本当《ほんとう》　バラの香《かお》りをかいで記憶《きおく》し、睡眠中《すいみんちゅう》にもかぐと、記憶《きおく》が定着《ていちゃく》しやすくなるという実験結果《じっけんけっか》があるよ。

第《だい》7章《しょう》　心《こころ》の取《と》り扱《あつか》い説明書《せつめいしょ》

「心《こころ》の不《ふ》調《ちょう》」ってなんだろう？

心《こころ》はいつも健康《けんこう》とは限《かぎ》らない

私《わたし》たちの「体《からだ》」が風邪《かぜ》をひいたり、病気《びょうき》になったりすることがあるように、「心《こころ》」にだって調子《ちょうし》が悪《わる》いときがある。うきうきした気持《きも》ちが続《つづ》くときもあれば、理由《りゆう》もないのに気持《きも》ちが沈《しず》んだり、イライラ、モヤモヤしたりするときだってあるよね。みんなはどんなときに「心《こころ》の不調《ふちょう》」を感《かん》じるかな？

心《こころ》の不調《ふちょう》は、だれにでもあることで、特別《とくべつ》なことじゃない。だからもし、「今日《きょう》は元気《げんき》がないな」「ちょっと調《ちょう》子《し》が悪《わる》いな」と思《おも》ったときは、がまんせずに休《やす》んだり、ストレスのもとから距離《きょり》を置《お》いたりしてもいい。風邪《かぜ》をひいたときに体《からだ》を休《やす》めるのと同《おな》じように、心《こころ》を休《やす》めることも大事《だいじ》なんだ。

▲ゆっくりと休《やす》むことは、心《こころ》の健康《けんこう》のためにも大切《たいせつ》だよ。

心《こころ》の病気《びょうき》は特別《とくべつ》なものではない

心《こころ》の不調《ふちょう》が続《つづ》くと、心《こころ》の病気《びょうき》にかかってしまうこともある。

代表的《だいひょうてき》なもののひとつが、「うつ病《びょう》」だ。うつ病《びょう》の症状《しょうじょう》には、気分《きぶん》が落《お》ち込《こ》む、気力《きりょく》がなくなる、悲観的《ひかんてき》になる、眠《ねむ》れなくなるなどがある。ほかにも、頭痛《ずつう》やめまい、食《しょく》欲不振《よくふしん》など、さまざまな症状《しょうじょう》があり、どんな症状《しょうじょう》が出《で》るのか、人《ひと》によってちがうことも多《おお》いんだ。

うつ病《びょう》は、脳内《のうない》に原因《げんいん》があることがわかっている。感《かん》情《じょう》や気分《きぶん》に作用《さよう》する神経伝達物質《しんけいでんたつぶっしつ》の量《りょう》が減《へ》ることが原因《げんいん》とする説《せつ》などがあるんだけれど、くわしい原因《げんいん》については、わかっていない部分《ぶぶん》も多《おお》いんだ。

「摂食障害《せっしょくしょうがい》」も心《こころ》の病気《びょうき》のひとつ。「自分《じぶん》は太《ふと》っている」という思《おも》い込《こ》みから極端《きょくたん》な食事制限《しょくじせいげん》や絶食《ぜっしょく》を行《おこな》う「神経《しんけい》性食欲不振症《せいしょくよくふしんしょう》（拒食症《きょしょくしょう》）」と、異常《いじょう》な量《りょう》のドカ食《ぐ》いをした後《あと》に、それをはいたり、下剤《げざい》で出《だ》したりすることをくり返《かえ》す「神経性過食症《しんけいせいかしょくしょう》（過食症《かしょくしょう》）」がある。どちらの場合《ばあい》も、きちんと栄養《えいよう》をとることができなくなるため、体《からだ》にさまざまな症状《しょうじょう》が出《で》てしまう。最悪《さいあく》の場合《ばあい》は、栄養失調《えいようしっちょう》やショック症状《しょうじょう》などから死《し》に至《いた》る可能性《かのうせい》もある。恐《おそ》ろしい病《びょう》気《き》だよ。また、脳《のう》にも栄養《えいよう》が行《い》き渡《わた》らず、脳《のう》が萎縮《いしゅく》して記憶力《きおくりょく》が低下《ていか》したり、人格《じんかく》に影響《えいきょう》したりすることもある。ダイエットがきっかけになることが多《おお》く、摂食障害《せっしょくしょうがい》の患《かん》者《じゃ》の95%は、思春期《ししゅんき》や青年期《せいねんき》の女《じょ》性《せい》だといわれているよ。

こうした心《こころ》の病気《びょうき》は、だれでもかかる可能性《かのうせい》があり、決《けっ》してその人《ひと》の「心《こころ》が弱《よわ》い」からかかるわけではない。みんなも、不安《ふあん》を感《かん》じたり、心配《しんぱい》になったりすることがあったら、まずはまわりの人《ひと》に相《そう》談《だん》してみよう。身近《みぢか》な人《ひと》には言《い》いにくいことであれば、電話《でんわ》で相談《そうだん》することもできるよ。

子供《こども》のSOS《エスオーエス》の相談窓口《そうだんまどぐち》

0120-0-78310

https://www.mext.go.jp/a_menu/shotou/seitoshidou/06112210.htm

心《こころ》の不調《ふちょう》を治療《ちりょう》する医師《いし》やカウンセラー

心《こころ》の病気《びょうき》は、体《からだ》の病気《びょうき》と同《おな》じように、治療《ちりょう》して治《なお》すことができる。ただし、放《ほう》っておくとどんどん重症化《じゅうしょうか》してしまうこともあるから、早《はや》めに見《み》つけて治療《ちりょう》することが大事《だいじ》なんだ。

こうした心《こころ》の病気《びょうき》や不調《ふちょう》を治療《ちりょう》するのが、精神科医《せいしんかい》や臨床心理士《りんしょうしんりし》、心理《しんり》カウンセラーだ。

精神科医《せいしんかい》は、精神医学《せいしんいがく》を専門《せんもん》にする医師《いし》。心理療法《しんりりょうほう》のほか、薬《くすり》を使《つか》った治療《ちりょう》を行《おこな》うこともできるよ。

一方《いっぽう》の、臨床心理士《りんしょうしんりし》や心理《しんり》カウンセラーは、主《おも》にカウンセリングなどの心理療法《しんりりょうほう》で患者《かんじゃ》の心《こころ》の回復《かいふく》を支援《しえん》する。精神科医《せいしんかい》とちがうのは、医師免許《いしめんきょ》をもっていないので、薬《くすり》の処方《しょほう》ができないこと。そのぶん、患者《かんじゃ》と時間《じかん》をかけて向《む》き合《あ》い、原因《げんいん》の解明《かいめい》や、その原因《げんいん》に向《む》き合《あ》うためのサポートなどを行《おこな》うことが多《おお》いよ。

どちらにかかるのがいいのかは、症状《しょうじょう》や状況《じょうきょう》によって変《か》わる。ほかにも方法《ほうほう》は考《かんが》えられるから、みんなが心《こころ》の不調《ふちょう》を感《かん》じたときは、まずは身近《みぢか》な人《ひと》やスクールカウンセラーに相談《そうだん》してみよう。

▲体《からだ》の不調《ふちょう》と同《おな》じように、心《こころ》の不調《ふちょう》にも、治療《ちりょう》の専門家《せんもんか》がいるよ。

心《こころ》はコントロールできる？

感情《かんじょう》のコントロール方法《ほうほう》

心《こころ》の不調《ふちょう》には、いろいろな原因《げんいん》がある。感情《かんじょう》が暴走《ぼうそう》してしまうことも、原因《げんいん》のひとつだ。怒《いか》りや恐《おそ》れなどの心《ここ》地《ち》よくない感情《かんじょう》がずっと続《つづ》くと心《こころ》が安定《あんてい》しないし、楽《たの》しい感情《かんじょう》もずっと続《つづ》くと、興奮状態《こうふんじょうたい》や依存症《いぞんしょう》になってしまうことがある。感情《かんじょう》がなくなってしまうのは困《こま》るけど、感情《かんじょう》に振《ふ》りまわされるのは、もっと困《こま》るよね。

感情《かんじょう》をコントロールするための第一歩《だいいっぽ》は、今自分《いまじぶん》がどんな感情《かんじょう》でいるのかを知《し》ることだ。つまり、どんな感《かん》情《じょう》でも、「感《かん》じていないふり」はしないってこと。「私《わたし》は怒《おこ》っている」「私《わたし》は悲《かな》しい」と認《みと》めると、対《たい》処法《しょほう》も見《み》えてくるんだ。一《ひと》つひとつの感情《かんじょう》との向《む》き合《あ》い方《かた》は、第《だい》3章《しょう》でも説明《せつめい》しているよ。

▲自分《じぶん》の感情《かんじょう》と向《む》き合《あ》って、認《みと》めることが、感情《かんじょう》との上手《じょうず》なつきあい方《かた》だよ。

ストレス解消法《かいしょうほう》をもっていることがストレスを減《へ》らす

みんなは、「ストレス」を感《かん》じたことがある？ ストレスとは、外部《がいぶ》から刺激《しげき》を受《う》けたときに感《かん》じる負荷《ふか》や重圧《じゅうあつ》のことで、心《こころ》や体《からだ》の不調《ふちょう》の大《おお》きな原因《げんいん》になる。好《す》きじゃない人《ひと》やもの、行《い》きたくない場所《ばしょ》など、人《ひと》によってストレスの原因《げんいん》はちがうし、昨日《きのう》は平気《へいき》だったものに、今日《きょう》はストレスを感《かん》じるなんてこともあるんだ。

ストレスの原因《げんいん》はいろいろなところにひそんでいるから、避《さ》けることは難《むずか》しい。けれど、ストレスに対処《たいしょ》する方法《ほうほう》はある。それは、「ストレス解《かい》消法《しょうほう》」や「ストレスからの逃《に》げ道《みち》」をもっ

▲ストレスからの逃《に》げ道《みち》をもっておくと、ストレスそのものもこわくなくなるよ。

ておくことだ。本《ほん》を読《よ》んだり、音楽《おんがく》を聞《き》いたり、運動《うんどう》したり、自分《じぶん》なりのストレス解消法《かいしょうほう》をひとつは考《かんが》えておこう。実際《じっさい》にそれをやらなくても、「○○すればストレスから逃《に》げられる」と信《しん》じるだけでも、ストレスは減《へ》らすことができるんだ。

すると、ストレスを感《かん》じること自体《じたい》も、あまりこわくなくなってくるよね。「ストレスを感《かん》じても大丈夫《だいじょうぶ》」と思《おも》えるようになれば、ストレスを感《かん》じる機会《きかい》そのものも、少《すく》なくなるかもしれないよ。

「バイオフィードバック」で心《こころ》をコントロールできる!?

「座《すわ》ったままで心拍数《しんぱくすう》を上《あ》げる」「脳《のう》の活動《かつどう》を自分《じぶん》でコントロールする」。こんなこと、できると思《おも》う？　実《じつ》はどちらも、訓練《くんれん》すればできるようになるんだ。

そのやり方《かた》のひとつが、「バイオフィードバック」を使《つか》う方法《ほうほう》。バイオフィードバックとは、心拍数《しんぱくすう》や血圧《けつあつ》、脳《のう》の活動《かつどう》など、自分《じぶん》の体《からだ》や心《こころ》の状態《じょうたい》を測定《そくてい》し、リアルタイムで目《め》に見《み》えるようにしておくもの。例《たと》えば、心拍数《しんぱくすう》を測《はか》り、常《つね》に自分《じぶん》で見《み》えるようにした状態《じょうたい》で訓練《くんれん》を積《つ》めば、心拍数《しんぱくすう》を上《あ》げたり下《さ》げたり、コントロールすることができるようになるんだ。

また、さらに複雑《ふくざつ》な行程《こうてい》を重《かさ》ねると、バイオフィードバックで、脳《のう》の活動《かつどう》をコントロールできるようにもなる。例《たと》えば、52ページで紹介《しょうかい》した「扁桃体《へんとうたい》」を活性化《かっせいか》したり、制御《せいぎょ》したりすることもできるようになるんだ。扁桃体《へんとうたい》は、感情《かんじょう》と結《むす》びつきが強《つよ》い部位《ぶい》だから、ここがコントロールできるようになれば、感情《かんじょう》や心《こころ》のコントロールもできるようになるかもしれないね。

一口《ひとくち》コラム　ヨガや瞑想《めいそう》の効果《こうか》

バイオフィードバックと同《おな》じように、心《こころ》をコントロールする効果《こうか》があるといわれているのが、ヨガや瞑想《めいそう》だ。

ヨガの修行《しゅぎょう》を続《つづ》けると、心拍数《しんぱくすう》、呼吸数《こきゅうすう》などを自在《じざい》にコントロールできるようになるんだって。また、瞑想《めいそう》の達人《たつじん》になると、注意力《ちゅういりょく》や集中力《しゅうちゅうりょく》に関係《かんけい》する「ガンマ波《は》」という脳波《のうは》を自在《じざい》に生《う》み出《だ》すことができるようになるともいわれている。達人《たつじん》レベルじゃなくても、素人《しろうと》が20分《ぷん》の瞑想《めいそう》を5日間続《かかんつづ》けただけで、脳《のう》の活動《かつどう》に変化《へんか》が見《み》られたというデータもあるんだ。

ヨガや瞑想《めいそう》は、特殊《とくしゅ》な機器《きき》を使《つか》わなくてもできるし、特別《とくべつ》なところに行《い》かなくてもできる方《ほう》法《ほう》だね。

心《こころ》を元《げん》気《き》にする方《ほう》法《ほう》はあるの?

「歩《ある》くこと」で記《き》憶《おく》力《りょく》アップ

まんがでは、「ハッピープロムナード」のうえを歩《ある》くことで、明《あか》るい気《き》持《も》ちになっていたね。実《じつ》は、ひみつ道《どう》具《ぐ》を使《つか》わなくても、「歩《ある》くこと」そのものが、心《こころ》にいい影《えい》響《きょう》を与《あた》えることがわかっているんだ。

アメリカ、イリノイ大《だい》学《がく》のクレイマー博《はか》士《せ》たちが、55歳《さい》〜80歳《さい》の男《だん》女《じょ》60人《にん》に、1日《にち》40分《ぷん》間《かん》の散《さん》歩《ぽ》を、週《しゅう》3日《か》の頻《ひん》度《ど》で続《つづ》けてもらう実《じっ》験《けん》を行《おこな》った。半《はん》年《とし》後《ご》に脳《のう》の変《へん》化《か》を調《しら》べたところ、海《かい》馬《ば》の大《おお》きさが平《へい》均《きん》2%大《おお》きくなり、それに伴《ともな》って記《き》憶《おく》力《りょく》も高《たか》まったことがわかったんだ。

散《さん》歩《ぽ》をすると、気《き》持《も》ちいいし、おまけに記《き》憶《おく》力《りょく》もアップするなんて、すごいよね。みんなも、モヤモヤしたときや、勉《べん》強《きょう》に疲《つか》れたときは、少《すこ》し歩《ある》いてみるといいかもしれないよ。

▲散《さん》歩《ぽ》をすると、体《からだ》だけでなくて、心《こころ》も元《げん》気《き》になるよね。

運《うん》動《どう》は心《こころ》まで健《けん》康《こう》にする

歩《ある》くこと以《い》外《がい》の運《うん》動《どう》にも、心《こころ》を元《げん》気《き》にさせる効《こう》果《か》があることがわかっている。特《とく》に「うつ病《びょう》」の症《しょう》状《じょう》を軽《けい》減《げん》させることは、さまざまな論《ろん》文《ぶん》で発《はっ》表《ぴょう》されているんだ。

どうして運《うん》動《どう》がうつ病《びょう》の治《ち》療《りょう》に効《こう》果《か》的《てき》なのか、まだ研《けん》究《きゅう》中《ちゅう》の部《ぶ》分《ぶん》も多《おお》いんだけれど、その理《り》由《ゆう》のひとつは、運《うん》動《どう》に、うつ病《びょう》の原《げん》因《いん》といわれる物《ぶっ》質《しつ》を分《ぶん》解《かい》する効《こう》果《か》があることだ。運《うん》動《どう》すると、筋《きん》肉《にく》の細《さい》胞《ぼう》が活《かっ》性《せい》化《か》され、「キヌレニン」という物《ぶっ》質《しつ》を分《ぶん》解《かい》してくれる。するとうつ病《びょう》の症《しょう》状《じょう》も改《かい》善《ぜん》されることがわかっているよ。

心《こころ》が疲《つか》れているときに運《うん》動《どう》すると、「もっと疲《つか》れるんじゃない?」と思《おも》うかもしれないけれど、実《じっ》際《さい》にやってみると、意《い》外《がい》にすっきりするんじゃないかな。

自《じ》尊《そん》心《しん》を大《だい》事《じ》にしよう

自《じ》分《ぶん》自《じ》身《しん》のことを大《たい》切《せつ》に思《おも》う気《き》持《も》ちや、自《じ》分《ぶん》のよいところを認《みと》め、大事《だいじ》にする感情《かんじょう》を「自尊心《じそんしん》」という。「プライド」と呼《よ》ばれることもあるよ。

心《こころ》を平静《へいせい》に保《たも》つためには、この自尊心《じそんしん》を大事《だいじ》にするといい。自尊心《じそんしん》があって、自分《じぶん》に自信《じしん》をもつことができれば、人《ひと》と自分《じぶん》を比《くら》べて、嫉妬《しっと》や劣等感《れっとうかん》を感《かん》じることが少《すく》なくなる。自尊心《じそんしん》が高《たか》くなりすぎて、まわりが見《み》えなくなるのは問題《もんだい》だけれど、正《ただ》しい自尊心《じそんしん》をもつことができれば、余計《よけい》な不安《ふあん》やストレスを感《かん》じなくてすむようになるよ。

自尊心《じそんしん》を育《そだ》てるためには、自分《じぶん》のいいところを知《し》ることが大切《たいせつ》だ。「できないこと」ばかりじゃなくて、「できること」や「得意《とくい》なこと」に目《め》を向《む》けてみよう。完璧《かんぺき》な人《ひと》なんてどこにもいないから、苦手《にがて》なことがあったって大丈夫《だいじょうぶ》。得意《とくい》なことを自分《じぶん》で認《みと》めて伸《の》ばしながら、苦手《にがて》なことを少《すこ》しずつ克服《こくふく》していけばいいんだよ。

そして、比《くら》べる対象《たいしょう》は、「他人《たにん》」じゃなくて、「自分《じぶん》」にしよう。「あの人《ひと》と比《くら》べて、自分《じぶん》は○○だ」ではなく、「昨日《きのう》の自分《じぶん》と比《くら》べて、今《いま》の自分《じぶん》は○○だ」と考《かんが》えてみて。もしまわりから、「○○さんと比《くら》べてあなたは〜」と言《い》われたとしても、気《き》にしなくていい。自分《じぶん》は自分《じぶん》だし、他人《たにん》は他人《たにん》。「これまでの自分《じぶん》のなかで、いちばんすごい自分《じぶん》になること」をめざして努力《どりょく》したり、頑張《がんば》ったりすると、自信《じしん》につながりやすい。自信《じしん》をうまく育《そだ》てて、自尊心《じそんしん》を高《たか》めると、心《こころ》を元気《げんき》に保《たも》つことができるよ。こうしたちょっとした心《こころ》がけが大切《たいせつ》なんだね。

▲小《ちい》さなことでもいいから、「できるようになったこと」を見《み》つけてみよう。

一口《ひとくち》コラム

脳《のう》は歳《とし》をとるほどに幸《しあわ》せになる!?

脳《のう》は、歳《とし》をとるほどに幸《しあわ》せを感《かん》じやすくなる傾向《けいこう》がある。びっくりしたかな？

アメリカのコロラド大学《だいがく》のウッド博士《はかせ》が行《おこな》った、20歳前後《さいぜんご》の若者《わかもの》と55歳以上《さいいじょう》の年配者《ねんぱいしゃ》に、心地《ここち》よくない感情《かんじょう》を生《う》み出《だ》しやすい写真《しゃしん》、前向《まえむ》きな感情《かんじょう》を生《う》み出《だ》しやすい写真《しゃしん》、どちらともいえない写真《しゃしん》を取《と》り混《ま》ぜて見《み》せるという実験《じっけん》では、若者《わかもの》の方《ほう》が、心地《ここち》よくない写真《しゃしん》に強《つよ》く反応《はんのう》しやすいことがわかっている。これはつまり、年配者《ねんぱいしゃ》の方《ほう》が、「不快《ふかい》な状況《じょうきょう》に心《こころ》を動《うご》かされにくい」ということだ。

また、「扁桃体《へんとうたい》」は、年配者《ねんぱいしゃ》ほど、心地《ここち》よくない感情《かんじょう》よりも前向《まえむ》きな感情《かんじょう》を生《う》み出《だ》しやすくなるという実験結果《じっけんけっか》もあるよ。

りっぱな
パパになるぞ！

ただいまあ。
帰《かえ》りましたあ。
は〜〜〜るがき〜〜〜たは〜〜〜るがき〜〜〜〜た。
あなたっ、何時《なんじ》だと思《おも》ってるの。
パパだ。
お帰《かえ》んなさい。
やあわが子《こ》よ、大《おお》きくなったなあ。
ごきげんだね。

はい、お水《みず》。
おう、ありがとう。いとしの息子《むすこ》よ。
ところでお願《ねが》いがあるんだけど。
おう、なんでもえんりょなくいいなさい。
まえにもいったけど……、ぼくの部屋《へや》にも一台《だい》カラーテレビを。
ブーッ
は〜るがき〜た〜は〜るがき〜た〜。
ずるいずるい。
子《こ》どもが何時《なんじ》までおきてるんだ、寝《ね》なさい。
きみ、このごろ成績《せいせき》が落《お》ちてるぞ。
のびちゃん、いいかげんにしなさい!
かってだよ。
自分《じぶん》は遅《おそ》くまで遊《あそ》んできて。
おとなってそんなものさ。
おやすみ。

心《こころ》の不思議《ふしぎ》Q&A《キューアンドエー》

Q 「我思《われおも》う、ゆえに我《われ》あり」という言葉《ことば》を残《のこ》した有名《ゆうめい》な哲学者《てつがくしゃ》は?

①プラトン ②フロイト ③デカルト

そうかな……。
いや、ぼくはそんなおとなにならないぞ。
とつぜん成績《せいせき》のことなんか持《も》ち出《だ》して、子《こ》どもをいじめたりしないぞ！
お酒《さけ》なんか飲《の》む金《かね》があったら、
子《こ》どもにテレビを買《か》ってやるぞ。
勉強《べんきょう》なんかさせずに、こづかいはたっぷりやって、
やさしく理解力《りかいりょく》ある父親《ちちおや》に……。
ジ〜ン
ストップ！
そのへんでやめときな。
どうして？
りっぱすぎる決心《けっしん》は、きっと三日《か》ぼうずになるから。
ばかにするな！
そうだ！
行《い》ってみよう。
おい、どこへ行《い》くの。
二十五年後《ねんご》の世界《せかい》へ。
ぼくがどんなすばらしいパパになってるか、見《み》てくる。

A ③デカルト　フランスの哲学者《てつがくしゃ》で、心《こころ》と体《からだ》は別《べつ》のものであるとする「心身二元論《しんしんにげんろん》」のもとになる説《せつ》を唱《とな》えたことでも有名《ゆうめい》だよ。

二十五年後《ねんご》には、ぼくの家《いえ》はあのマンションに移《うつ》ってるんだ。
まえにいちど来《き》たからわかってる。
十二階《かい》の六十八号室《ごうしつ》。
ぼくはいるかな……。
いけません！何時《なんじ》だと思《おも》ってるの？

心《こころ》の不《ふ》思《し》議《ぎ》Q&A《キューアンドエー》

Q 脳《のう》の味覚《みかく》の領域《りょういき》を刺激《しげき》することで、何《なに》も食《た》べていなくても「味《あじ》」を感《かん》じさせることができる。本当《ほんとう》？　ウソ？

A 本当《ほんとう》　ネズミの脳《のう》を直接刺激《ちょくせつしげき》することで、ものを食《た》べていないのに「甘味《あまみ》」を感《かん》じさせることに成功《せいこう》した実験《じっけん》があるよ。

あれはぼくの息子《むすこ》のノビスケだな。
ママのしずちゃんに世話《せわ》をやかせて、しようのないやつだ。
「睡眠圧縮剤《すいみんあっしゅくざい》」を飲《の》めば、一時間寝《じかんね》ただけで十時間分《じかんぶん》の…………。
子《こ》どもが夜遊《よあそ》びしちゃいけません。
おとうさんがお帰《かえ》りになったら、うんとしかってもらいますからね。
ははあ、ぼくはまだ帰《かえ》っていないらしい。
なんとかあやしまれずに中《なか》へ入《はい》りたいんだがな……。
たしかここからベランダへ出《で》られたはずだ。
わっ、きみはだれだっ。
きみの親《おや》……、まあ、親《しん》せきみたいなもんだ。
なるほど……、そういえばそっくりだね。

遊《あそ》びに行《い》きたがってたね。
そう!無重力《むじゅうりょく》シアターで、プラネッツの深夜《しんや》コンサートがあるんだよ。
入《い》れかわろうか、きみの服《ふく》を貸《か》してくれれば……。
ほんと?
悪《わる》いなあ。
いやいや、かわいい息子《むすこ》のためならば……。
じゃ、あとをよろしく。
よろこんですっ飛《と》んで行《い》った。
子《こ》どもってかわいいなあ。
こういうやさしいオヤジを持《も》って…、
ノビスケはしあわせなやつだよ。
ただいまあ~~
ぼくが帰《かえ》ってきたらしい。

心《こころ》の不思議《ふしぎ》Q&A《キューアンドエー》

Q 脳《のう》の病気《びょうき》であるアルツハイマー病《びょう》の予防《よぼう》に効果《こうか》があるといわれている栄養素《えいようそ》は?

①WHO《ダブリューエイチオー》 ②VHA《ブイエイチエー》 ③DHA《ディーエイチエー》

A ③DHA《ディーエイチエー》 ドコサヘキサエン酸《さん》ともいう。マグロやサンマ、ブリなどの魚《さかな》に多《おお》く含《ふく》まれている栄養素《えいようそ》だよ。

三月《がつ》十日《か》、雨《あめ》。成績《せいせき》が落《お》ちてしかられた。「パパなんかいつも二番《ばん》だったぞ」といばったが、
じつはビリから二番《ばん》だったことをぼくはちゃんと知《し》ってるなり。

おとなになるのがいやになった。

ノビスケ!まだおきてるのか!

えらそうにいうない、
同《おな》じのび太《た》のくせに。

のび太《た》?

のび太《た》って…。

そうか!思《おも》い出《だ》した。子《こ》どものころ、未来《みらい》の自分《じぶん》に会《あ》ったっけ。

なつかしいなあ。

ブチャ

心《こころ》の不《ふ》思《し》議《ぎ》Q&A《キューアンドエー》

Q 痛《いた》みを感《かん》じる「痛覚《つうかく》」がないのはどこ?

①心臓《しんぞう》 ②頭皮《とうひ》 ③脳《のう》

A ③脳《のう》　脳自体《のうじたい》には痛覚《つうかく》がないので、もし脳《のう》そのものを直接《ちょくせつ》つついたとしても、痛《いた》みは感《かん》じないよ。

せっかく来《き》てくれたんだ。
今夜《こんや》はおおいに飲《の》もうや。
はなしてよ、よっぱらいは大《だい》きらいだ。
ぼくはがっかりしたね。
もっとりっぱなおとなになるはずだったのに。
子《こ》どものぼくは大決心《だいけっしん》をしたのに、
おとなのぼくがちっとも守《まも》ってない！
すまん！
ゆるしてくれ…。
…………
しかし！
それは無理《むり》というもんだぞ。
今《いま》の自分《じぶん》をふり返《かえ》ってみろ。
たいした努力《どりょく》もしないで、ある日《ひ》突然《とつぜん》えらい人《ひと》になれると思《おも》う？
失敗《しっぱい》しては反省《はんせい》し、また失敗《しっぱい》して反省《はんせい》し…。そのくり返《かえ》しの毎日《まいにち》さ。
なおったのは近眼《きんがん》だけ。
じゃあ、いつになったらりっぱなおとなになれるの？
さあね…。
ひょっとして一生今《いっしょういま》のままかもね。

来《く》るんじゃなかった。
そうがっくりするなって。
少《すこ》しずつでもましにはなってきてるから。
それに……、
しずちゃんはすばらしい女性《じょせい》だ。
ノビスケも、なまいきだけどかわいいやつだ。
このふたりのためだけにでも、ぼくはがんばろうと思《おも》うんだよ。
じゃ、やる気《き》はなくしてないんだね。
あたりまえさ。
人生《じんせい》はまだまだ長《なが》いんだ。これからが勝負《しょうぶ》だよ。
しっかりやろうね、おたがいに。
あなた、おねぼうして会社《かいしゃ》に遅刻《ちこく》しても知《し》らないわよ！

心《こころ》の不思議《ふしぎ》Q&A《キューアンドエー》

Q 脳《のう》の神経細胞《しんけいさいぼう》の数《かず》が決《き》まるのは、何歳《なんさい》ごろまで？

①1歳《さい》 ②3歳《さい》 ③10歳《さい》

よおし！
がんばるぞ。
だらしないくらしをやめて、毎日《まいにち》きちんと勉強《べんきょう》して。
しかし……。
毎日《まいにち》がんばりつづけるのはたいへんだから、一日《にち》おき……、
いや、二、三日《にち》おき……、
いや、やれる範囲《はんい》でがんばるぞ！
うん、そのていどの決心《けっしん》なら守《まも》り通《とお》せるだろう。

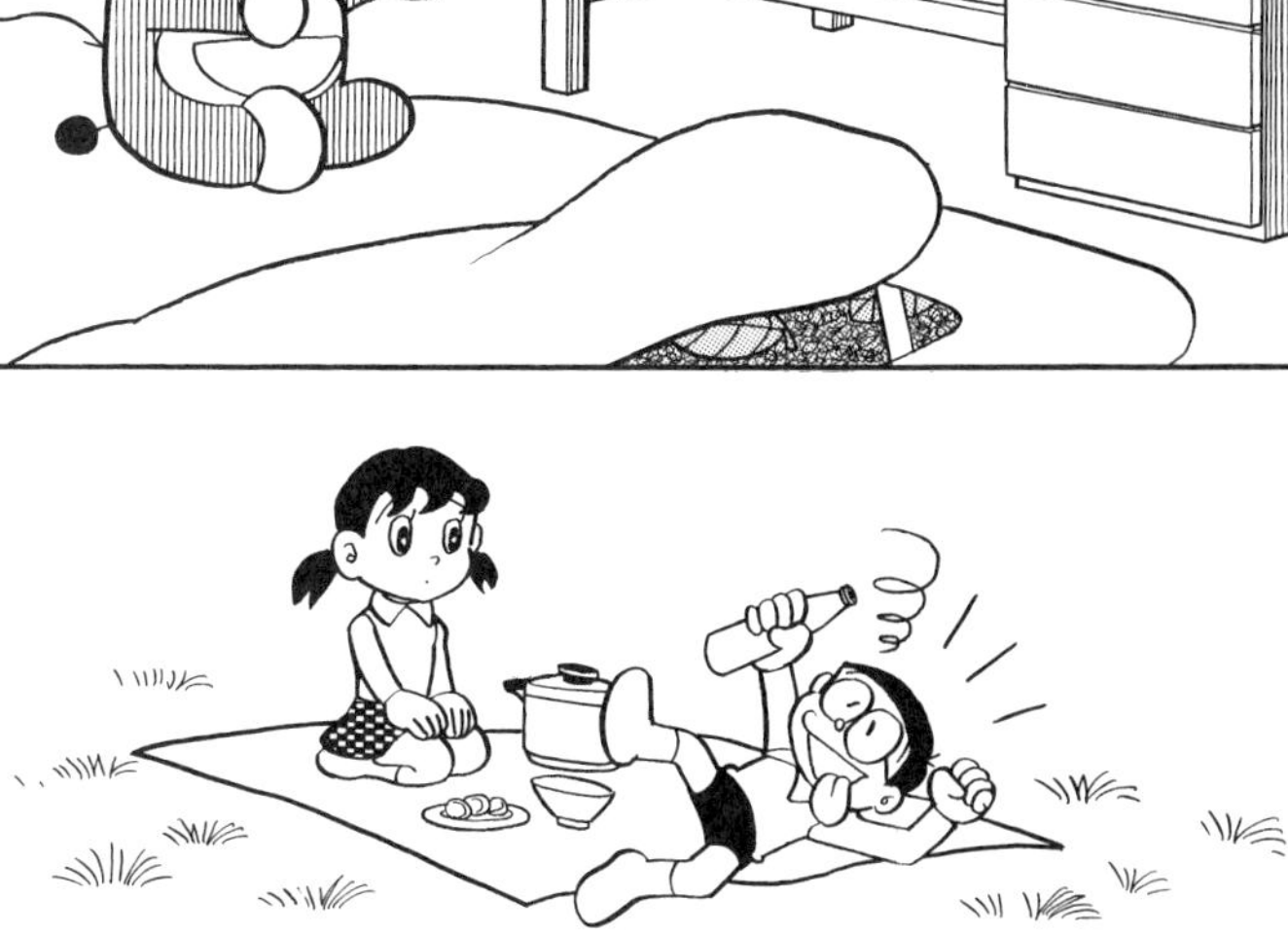

A ②3歳《さい》　神経細胞《しんけいさいぼう》の数《かず》は、生後《せいご》すぐが最《もっと》も多《おお》く、3歳《さい》ごろまでに約《やく》70%も減《へ》ってしまう。老人《ろうじん》になっても、ほとんど数《かず》は変《か》わらないよ。

第《だい》8章《しょう》 心《こころ》にまつわるお悩《なや》み相談室《そうだんしつ》

脳《のう》と心《こころ》にまつわる素朴《そぼく》な疑問《ぎもん》

だれにでも、日常生活《にちじょうせいかつ》でちょっと困《こま》ったり、疑問《ぎもん》に感《かん》じたりすることってあるよね。ここでは、みんなの「心《こころ》」にまつわる悩《なや》みや疑問《ぎもん》に、脳研究《のうけんきゅう》のスペシャリスト、池《いけ》谷裕二《がやゆうじ》先生《せんせい》に答《こた》えてもらったよ。

まずは、脳《のう》と心《こころ》に関《かん》する疑問《ぎもん》を紹介《しょうかい》するよ。脳《のう》のしくみや心《こころ》の働《はたら》きには、不思議《ふしぎ》がいっぱいだ。「どうしてこうなるんだろう？」と感《かん》じる疑問《ぎもん》について、聞《き》いてみよう。

質問《しつもん》1 においをかぐと、昔《むかし》の記憶《きおく》を思《おも》い出《だ》すのはどうして？

嗅覚《きゅうかく》は、五感《ごかん》（視覚《しかく》・聴覚《ちょうかく》・触覚《しょっかく》・味覚《みかく》・嗅覚《きゅうかく》）のなかで、最《もっと》も原始的《げんしてき》な感覚《かんかく》です。嗅覚《きゅうかく》が最初《さいしょ》にあり、その後《あと》に脳《のう》、その後《あと》に視覚《しかく》などが発達《はったつ》しました。

嗅覚以外《きゅうかくいがい》は、脳《のう》まで情報《じょうほう》を届《とど》けるときに、「視床《ししょう》」という中継地点《ちゅうけいちてん》を通《とお》りますが、嗅覚《きゅうかく》だけは、鼻《はな》から直接脳《ちょくせつのう》に入《はい》り、記憶《きおく》を司《つかさど》る海馬《かいば》に情報《じょうほう》が伝《つた》わります。

つまり、嗅覚《きゅうかく》は記憶《きおく》の貯蔵庫《ちょぞうこ》、製造工場《せいぞうこうじょう》と密接《みっせつ》に結《むす》びついているのですね。だから、においが記憶《きおく》を呼《よ》び起《お》こすことがあるのです。

また、自分《じぶん》の背後《はいご》や暗闇《くらやみ》では視覚《しかく》が通用《つうよう》しないけれど、においは見《み》えないところから届《とど》いてもわかります。多《おお》くの動物《どうぶつ》たちがそうであるように、人間《にんげん》も嗅覚《きゅうかく》を頼《たよ》りにしているのです。

質問《しつもん》2 どうして嫌《いや》な記憶《きおく》の方《ほう》が残《のこ》りやすいの？

生物学的《せいぶつがくてき》に考《かんが》えると、残《のこ》さなければならない最《もっと》も大切《たいせつ》な記憶《きおく》とは、命《いのち》の危険《きけん》に関《かか》わることです。もともと人間《にんげん》は、できるだけ長《なが》く生《い》きるために、記憶《きおく》を残《のこ》してきました。だから、命《いのち》をおびやかすような危険《きけん》な目《め》にあったときの「嫌《いや》な」記憶《きおく》は、なかなか消《き》えることがないといえるのです。

人間《にんげん》は、楽《たの》しむことも覚《おぼ》えたため、楽《たの》しい記憶《きおく》をつくることもできるようになりました。けれどもやはり、生《せい》物《ぶつ》の生存《せいぞん》に必要《ひつよう》な「嫌《いや》な記憶《きおく》」は、最終的《さいしゅうてき》に残《のこ》りやすいといえるでしょう。

●質問《しつもん》3

何《なに》かに夢中《むちゅう》になるとほかのことができなくなってしまいます。気持《きも》ちを切《き》り替《か》える方法《ほうほう》ってありますか?

私《わたし》がよく仕事前《しごとまえ》などにやる方法《ほうほう》をお伝《つた》えしましょう。まず、目《め》を閉《と》じて姿勢《しせい》を正《ただ》し、手《て》のひらに乗《の》るくらいのボールを思《おも》い浮《う》かべてください。そしてそれを、頭《あたま》の上《うえ》に乗《の》せるイメージをしてみましょう。ボールが落《お》ちないようにバランスをとっていると、30秒《びょう》もするとパッと気持《き》ちが切《き》り替《か》わります。

この30秒《びょう》というのは、心理《しんり》学的《がくてき》には重要《じゅうよう》な時間《じかん》です。じっと文字《もじ》を見《み》ていると、文字《もじ》の形《かたち》が崩《くず》れ出《だ》す「ゲシュタルト崩壊《ほうかい》」という現象《げんしょう》も、30秒《びょう》くらいで起《お》こります。30秒《びょう》は、脳《のう》のなかのいわば意見聴《いけんちょう》取事務室《しゅじむしつ》が働《はたら》く時間《じかん》なのです。

ですから気持《き》ちを切《き》り替《か》えたいときには、30秒《びょう》の区切《くぎ》りを意識《いしき》するのがおすすめです。集中《しゅうちゅう》したいときには、ぜひ一度《いちど》、この「ボール乗《の》せ」をやってみてください。

●質問《しつもん》4

こわい夢《ゆめ》をよく見《み》ます。夢《ゆめ》に意味《いみ》はあるのですか?

実《じつ》は、夢《ゆめ》を見《み》る本当《ほんとう》の目的《もくてき》は、わかっていません。夢《ゆめ》に出《で》てくる内容《ないよう》の多《おお》くは、私《わたし》たちが実際《じっさい》に経験《けいけん》したことです。おそらく人間《にんげん》は、こわい夢《ゆめ》も楽《たの》しい夢《ゆめ》も、均等《きんとう》に見《み》ています。そして夢《ゆめ》は、見《み》たそばから忘《わす》れていきます。

こわい夢《ゆめ》を覚《おぼ》えていることが多《おお》いのは、こわい夢《ゆめ》を見《み》た後《あと》に目《め》が覚《さ》めやすいからでしょう。こわい夢《ゆめ》ほど、後《あと》から思《おも》い出《だ》しやすいともいえます。

人間関係《にんげんかんけい》についてのお悩《なや》み

次《つぎ》に答《こた》えてもらうのは、友《とも》だちやおうちの人《ひと》など、人《にん》間関係《げんかんけい》のお悩《なや》みだ。きみが悩《なや》んでいることについての答《こた》えも見《み》つかるかもしれないよ。

●質問《しつもん》5
本音《ほんね》で話《はな》せる友《とも》だちが欲《ほ》しいです。どうしたらそんな友《とも》だちができますか？

今《いま》の友《とも》だちを、本音《ほんね》で話《はな》せる友《とも》だちに変《か》えてみましょう。まずは、自分《じぶん》から友《とも》だちに対《たい》して心《こころ》を開《ひら》いて、本音《ほんね》を話《はな》してみてください。友《とも》だちはきっと、「私《わたし》にしか打《う》ち明《あ》けていないことなんだ」「私《わたし》にはちゃんと本音《ほんね》を伝《つた》えてくれているんだ」とうれしく感《かん》じて、真剣《しんけん》に話《はなし》を聞《き》いてくれるはずです。そのときには、「ほかの人《ひと》には、絶《ぜっ》対《たい》に言《い》えないんだけどね」という心理学《しんりがく》の言葉《ことば》のテクニックを使《つか》ってみましょう。これは、「あなただけは特別《とくべつ》なんだよ」という裏《うら》のメッセージになっています。

●質問《しつもん》6
好《す》きな人《ひと》を見《み》たときにドキドキする気持《きも》ちの正体《しょうたい》は？

はじめに、鳥《とり》の羽《はね》のお話《はなし》をしましょう。実《じつ》は、鳥《とり》の羽《はね》は、空《そら》を飛《と》ぶために発達《はったつ》したわけではありません。鳥《とり》の祖先《そせん》の生《い》き物《もの》が、体温《たいおん》を保持《ほじ》するために羽《はね》を発達《はったつ》させたことがわかっています。その羽《はね》を鳥《とり》は進化《しんか》の過程《かてい》でうまく転用《てんよう》して、飛《と》ぶために活用《かつよう》しているのです。これを生物学的《せいぶつがくてき》には、「前適応《ぜんてきおう》」といいます。

鳥《とり》と同《おな》じように人間《にんげん》も、進化《しんか》の過程《かてい》で人間《にんげん》になりました。恋《れん》愛《あい》の感情《かんじょう》は人間《にんげん》しかもっていない心《こころ》の働《はたら》きですが、人間《にんげん》に進化《しんか》してから、初《はじ》めてその感情《かんじょう》が芽《め》生《ば》えたわけではありません。鳥《とり》の羽《はね》と同《おな》じように、転用《てんよう》される

前《まえ》には別《べつ》の目的《もくてき》がありました。
それは、わが子《こ》への愛情《あいじょう》です。子育《こそだ》て中《ちゅう》には、オキシトシンという脳内物質《のうないぶっしつ》が分泌《ぶんぴつ》されて脳《のう》が活性化《かっせいか》し、胸《むね》が高鳴《たかな》ります。つまり、わが子《こ》を守《まも》るために体《からだ》が臨戦態勢《りんせんたいせい》に入《はい》るのです。恋愛《れんあい》の究極《きゅうきょく》の目的《もくてき》は、子孫《しそん》の繁栄《はんえい》です。つまり、子育《こそだ》てと恋愛《れんあい》には、同《おな》じ神経《しんけい》が働《はたら》いているのですね。その証拠《しょうこ》に、好《す》きな人《ひと》の写真《しゃしん》を見《み》せたときと子《こ》どもの写真《しゃしん》を見《み》せたときに、活性化《かっせいか》する脳《のう》の領域《りょういき》は同《おな》じという実験結果《じっけんけっか》もあります。

また、人間《にんげん》には社会性《しゃかいせい》がありますから、好《す》きな人《ひと》の前《まえ》では恥《はじ》をかきたくないとか、かっこ悪《わる》いところは見《み》せたくないというドキドキ感《かん》と、好《す》きな人《ひと》を大切《たいせつ》にしたい、その人《ひと》のために何《なん》でもしてあげたいというドキドキ感《かん》が重《かさ》なって、恋愛《れんあい》のドキドキが生《しょう》じているのです。ちなみに、これはどちらも、交感神経《こうかんしんけい》の働《はたら》きによるものです。

●質問《しつもん》7 どうして子《こ》どもは大人《おとな》の言《い》うことに不満《ふまん》を感《かん》じることが多《おお》いの？

長《なが》く生《い》きている人《ひと》（大人《おとな》）の方《ほう》が経験《けいけん》も豊富《ほうふ》で、社会《しゃかい》のルールを理解《りかい》しているので、大人《おとな》の言《い》うことを聞《き》いた方《ほう》が、うまくいくことが多《おお》いのは事実《じじつ》です。

では、子《こ》どもが、大人《おとな》の言《い》うことに不満《ふまん》をもつのは、どうしてでしょうか。実《じつ》は、子《こ》どもは、そもそも親《おや》の言《い》うことを聞《き》くようにはプログラムされていないのです。

おどろきですね。狩猟採集《しゅりょうさいしゅう》の時代《じだい》、親《おや》は、子《こ》どもを育《そだ》てていませんでした。お母《かあ》さんは、出産《しゅっさん》し、その子《こ》に1年《ねん》くらいお乳《ちち》をあげた後《あと》、また次《つぎ》の子《こ》どもを妊娠《にんしん》します。妊娠《にんしん》、出産《しゅっさん》、授乳《じゅにゅう》のサイクルをくり返《かえ》し、30歳《さい》くらいで死《し》んでしまっていました。それが、当時《とうじ》の人間《にんげん》の女性《じょせい》の普通《ふつう》の生《い》き方《かた》で、子《こ》どものお父《とう》さんがだれかもわかりませんでした。では、だれが子《こ》どもを育《そだ》てていたのでしょうか。実《じつ》は、子《こ》どもの相手《あいて》をして面倒《めんどう》を見《み》ていたのは、同年代《どうねんだい》の子《こ》どもや、お兄《にい》さんやお姉《ねえ》さんです。ですから、子《こ》どもは、まわりの子《こ》どもたちから、最《もっと》も影響《えいきょう》を受《う》けるようにできています。

つまり、子《こ》どもが大人《おとな》の言《い》うことに不満《ふまん》をもつのは、生物学《せいぶつがく》的《てき》には当然《とうぜん》のことだともいえるのですね。

性格《せいかく》や生《い》き方《かた》についてのお悩《なや》み

ときにはみんなも、緊張《きんちょう》したり、人《ひと》の目《め》が気《き》になったり、自分《じぶん》に自信《じしん》がなくなってしまったり、マイナスの気《き》持《も》ちになってしまうことがあるよね。最後《さいご》は、こうした性格《せいかく》や生《い》き方《かた》についてのお悩《なや》みに対《たい》する池谷先生《いけがやせんせい》からのアドバイスを紹介《しょうかい》するよ。楽《たの》しく、自分《じぶん》らしく人生《じんせい》を送《おく》るためのヒントにつながるかもしれないね。

●質問《しつもん》8
みんなの前《まえ》で発表《はっぴょう》するときに、すごく緊張《きんちょう》してしまいます。どうすれば緊張《きんちょう》しなくなりますか？

まずは、「どうして緊張《きんちょう》するのかな」や「どうして恥《は》ずかしくなるのかな」と、自分《じぶん》の心《こころ》のなかを探究《たんきゅう》してみてください。そして、その原因《げんいん》がわかったら、それに対《たい》して開《ひら》き直《なお》ってみましょう。

緊張《きんちょう》の正体《しょうたい》は、友《とも》だちやまわりの人《ひと》に、かっこ悪《わる》い姿《すがた》を見《み》せたくないなど、自分自身《じぶんじしん》のプライドであることも多《おお》いものです。失敗《しっぱい》したら、恥《は》ずかしい思《おも》いをするかもしれないけれど、天地《てんち》がひっくり返《かえ》るほどの大事件《だいじけん》が起《お》こるわけではありません。むしろ、自分《じぶん》が失敗《しっぱい》して、みんなが笑《わら》ってくれたら、「場《ば》が盛《も》り上《あ》がって得《とく》したな」と考《かんが》えてみてください。最初《さいしょ》から、「恥《はじ》をかいてもいいんだ」と思《おも》うと、気持《きも》ちがちょっと楽《らく》になりますよ。

ね、ねらわれている!?
ドキドキ
ドキドキ

また、動物《どうぶつ》にとって「見《み》られる」ということは、獲物《えもの》として、外敵《がいてき》に命《いのち》をねらわれていることを意味《いみ》します。当《とう》然《ぜん》、心地《ここち》よいわけはありません。私《わたし》たち人間《にんげん》も動物《どうぶつ》ですから、大勢《おおぜい》の人《ひと》からじろじろと見《み》られることは、そもそも心理的《しんりてき》に負担《ふたん》となる状態《じょうたい》なのです。緊張《きんちょう》することは、人間《にんげん》の本能《ほんのう》。本来《ほんらい》は、とても自然《しぜん》なことなのです。そう考《かんが》えると、少《すこ》しだけリラックスできるかもしれません。

質問《しつもん》9 どうしたら人《ひと》の目《め》が気《き》にならなくなりますか？

人間《にんげん》は、社会性《しゃかいせい》をもった生《い》き物《もの》です。人《ひと》からどう見《み》られているのか、どう評価《ひょうか》されているのかが気《き》になるのは、当然《とうぜん》です。

だれでも失敗《しっぱい》は見《み》られたくないものですから、そういうときは、特《とく》に人《ひと》の目《め》が気《き》になりますね。その一方《いっぽう》で、常《つね》に、自分《じぶん》の姿《すがた》をまったくだれにも見《み》てもらえないのも、さびしいものです。不思議《ふしぎ》なもので、何《なに》かがうまくいったときには、自分《じぶん》の活躍《かつやく》を人《ひと》に見《み》てほしいと思《おも》ったり、注目《ちゅうもく》されたいと思《おも》ったりするものでしょう。

人《ひと》の目《め》を気《き》にすることは、決《けっ》して悪《わる》いことではありません。相手《あいて》がいるからこそ、笑顔《えがお》でふるまったり、明《あか》るく元気《げんき》よく挨拶《あいさつ》ができたりするようになります。人《ひと》の目《め》が、努力《どりょく》や頑張《がんば》りの原動力《げんどうりょく》になることもあるでしょう。

自分《じぶん》を評価《ひょうか》してくれるのは他人《たにん》ですし、他人《たにん》に評価《ひょうか》されるのはうれしいものです。人《ひと》の目《め》は、自分《じぶん》が成長《せいちょう》するための糧《かて》にもなっているのです。

質問《しつもん》10 自分《じぶん》に自信《じしん》をもつためにはどうすればいいですか？

自分《じぶん》にものすごく自信《じしん》があるという人《ひと》の方《ほう》がかえってちょっと大変《たいへん》かもしれません。ほとんどの人《ひと》は、何《なん》らかの「劣等感《れっとうかん》」をもっています。人間《にんげん》は、自分《じぶん》に自信《じしん》がなかったり、不安《ふあん》だったりするからこそ、もっと頑張《がんば》ろうという気持《きも》ちになれるものです。

また、「満足《まんぞく》」や「幸《しあわ》せ」という状態《じょうたい》は、一見《いっけん》すばらしいことに見《み》えますが、同時《どうじ》に、向上心《こうじょうしん》がなくなることも意《い》味《み》します。そこからさらに努力《どりょく》したり、もっと進歩《しんぽ》したりしようとも思《おも》わなくなるかもしれません。

劣等感《れっとうかん》や不満《ふまん》といったマイナスな感情《かんじょう》は、向上心《こうじょうしん》の原動《げんどう》力《りょく》になります。そして、自分《じぶん》に自信《じしん》のないところを少《すこ》しずつなくし、成長《せいちょう》していくのが、長《なが》い人生《じんせい》のいちばんの楽《たの》しみではないでしょうか。

あとがき

「心《こころ》」で世界《せかい》はつながっている

池谷裕二《いけがやゆうじ》（東京大学薬学部教授《とうきょうだいがくやくがくぶきょうじゅ》）

「心《こころ》」は心臓《しんぞう》にある？

「こころ」は漢字《かんじ》では、心《こころ》と書《か》きます。心臓《しんぞう》の「心《しん》」です。もともと、「心《こころ》」という漢字《かんじ》は、心臓《しんぞう》をかたどって作《つく》られた象形文字《しょうけいもじ》です。「L」が心臓《しんぞう》の本体《ほんたい》で、そこに添《そ》えられた3つの短《みじか》い線《せん》は、心臓《しんぞう》から出《で》る血管《けっかん》を表《あらわ》しています。英語《えいご》でも「こころ」は「ハート（heart）」といいます。やはり心臓《しんぞう》です。こんなふうに心《こころ》を心臓《しんぞう》とみなす考《かんが》えは、世界中《せかいじゅう》で共通《きょうつう》していて、その由来《ゆらい》は、2300年前《ねんまえ》の古代《こだい》ギリシャの時代《じだい》にまでさかのぼるそうです。実際《じっさい》、心《こころ》と体《からだ》が深《ふか》く関係《かんけい》していることは、この本《ほん》を読《よ》んだみなさんならば、よく理解《りかい》できるでしょう。

さて、ここで問題《もんだい》です。「心《こころ》」が部首《ぶしゅ》になった漢字《かんじ》を、知《し》っているだけ、あげてみてください。

思《し》、悲《ひ》、怠《たい》、怒《ど》、恥《ち》、恋《れん》、忍《にん》、惑《わく》、恐《きょう》……

たくさんありますね。「りっしんべん」まで含《ふく》めたら、

快《かい》、悔《かい》、忙《ぼう》、懐《かい》、憧《しょう》、悩《のう》、惨《ざん》、惜《せき》、悦《えつ》……

などなど、もっといっぱいあります。悲《かな》しいことも、恥《は》ずかしいことも、怖《こわ》いことも、悩《なや》むことも、そして、恋《こい》することも、憧《あこが》れることも、すべて心《こころ》の一部《いちぶ》です。

こんなふうに、心《こころ》は万華鏡《まんげきょう》のように、さまざまな形《かたち》となって私《わたし》たちのなかに現《あらわ》れます。心《こころ》があるからこそ、人生《じんせい》に意味《いみ》が生《う》まれるのです。

最近おもしろい研究がありました。アメリカのワイスマン博士《はかせ》が、世界《せかい》のさまざまな国《くに》の人々《ひとびと》に、ものの感《かん》じ方《かた》や見《み》え方《かた》についてたくさんの質問《しつもん》をして、その答《こた》えを分析《ぶんせき》したのです。すると、国《くに》や言語《げんご》、年齢《ねんれい》にかかわらず、心《こころ》のもち方《かた》は、世界中《せかいじゅう》で似《に》ていることがわかりました。

さらに調査《ちょうさ》した結果《けっか》、心《こころ》には経験《けいけん》、認知《にんち》、感情《かんじょう》の3つの面《めん》があることがわかりました。「経験《けいけん》」とは、お腹《なか》が空《す》いた、痛《いた》い、こわいといった自然《しぜん》な身体反応《しんたいはんのう》です。「認知《にんち》」とは、物事《ものごと》を理解《りかい》したり、覚《おぼ》えたり、聞《き》いたりといった脳《のう》の働《はたら》きです。最後《さいご》の「感情《かんじょう》」は、悲《かな》しい、恥《は》ずかしい、プライドといった形《かたち》で立《た》ち現《あらわ》れます。この3つの力《ちから》によって「心《こころ》」ができあがっていることが世《せ》界《かい》で共通《きょうつう》している——。そんなことが、この調査《ちょうさ》でわかったのです。

心《こころ》といえば、自分《じぶん》にしかわからない、自分《じぶん》だけのものだというイメージがありますが、実《じっ》際《さい》には、誰《だれ》もが似《に》たような心《こころ》の「形《かたち》」をもっていることになります。ということは、心《こころ》について、疑問《ぎもん》に感《かん》じたり、不思議《ふしぎ》に思《おも》ったり、悩《なや》んだりすることも、人《ひと》によってだいたい同《おな》じということになります。それならば、誰《だれ》もが興味《きょうみ》をもつ心《こころ》の働《はたら》きについて、そして、さまざまな形《かたち》になって立《た》ち現《あらわ》れる心《こころ》の七変化《しちへんげ》について、しっかりと解説《かいせつ》する本《ほん》があれば、きっとたくさんの人《ひと》に共通《きょうつう》して役《やく》に立《た》つかもしれない——。この本《ほん》はそんな経緯《けいい》で誕生《たんじょう》しました。

「人《ひと》の心《こころ》を想像《そうぞう》する力《ちから》」こそが人間《にんげん》らしさ

心《こころ》について、日頃《ひごろ》気《き》になるのは、自分《じぶん》の心《こころ》よりも、他人《たにん》の心《こころ》ではないでしょうか。「どんなプレゼントならば喜《よろこ》んでくれるかな」「私《わたし》の言葉《ことば》で傷《きず》つけてしまったかな」などと悩《なや》んだこともあるかもしれません。けれども、私《わたし》たちには他人《たにん》の心《こころ》を見《み》ることができません。

だから、脳《のう》は「人《ひと》の心《こころ》を想像《そうぞう》する力《ちから》」を発達《はったつ》させせました。相手《あいて》の心《こころ》をイメージする力《ちから》は、私《わたし》たちに優《やさ》しさや手助《てだす》けといった「思《おも》いやり」の気持《きも》ちを育《はぐく》みます。これはとても大切《たいせつ》なことです。

つまり、自分《じぶん》に心《こころ》があることを自分自身《じぶんじしん》でわかっていることはもちろん、他人《たにん》に心《こころ》があることを想定《そうてい》できる力《ちから》が、「人間《にんげん》らしさ」を生《う》み出《だ》していることになります。

この原理《げんり》を理解《りかい》したところで、あえて、とことん疑《うたが》ってみましょう。本当《ほんとう》に他人《たにん》に「心《こころ》」があるのでしょうか。もしかしたら、自分以外《じぶんいがい》の人《ひと》は、全員《ぜんいん》ロボットかもしれません。笑《わら》ったり泣《な》いたりすることも、すべてプログラムにより作動《さどう》していて、実《じつ》は、心《こころ》や感情《かんじょう》のないただの機械《きかい》だったら——。

そうやって、他人《たにん》の心《こころ》を疑《うたが》っていくと、「他人《たにん》」という存在《そんざい》の雲行《くもゆ》きがあやしくなってきます。確実《かくじつ》な存在《そんざい》だけをたどっていくと、結局《けっきょく》、行《い》き着《つ》くのは「自分《じぶん》」という一人《ひとり》の人間《にんげん》になります。自分《じぶん》の心《こころ》だけは、いま自分《じぶん》がこうして心《こころ》を感《かん》じている以上《いじょう》は、まちがいなく存在《そんざい》します。

でも、それさえも疑《うたが》ってみましょう。私《わたし》の心《こころ》は本物《ほんもの》でしょうか。誰《だれ》かによって、「自分《じぶん》に心《こころ》がある」ことを信《しん》じるように仕向《しむ》けられている可能性《かのうせい》はないでしょうか。

実《じつ》は、徹底的《てっていてき》に疑《うたが》っていくと、世《よ》の中《なか》のすべての「心《こころ》」は跡形《あとかた》もなく消《き》えてしまいます。他人《たにん》に心《こころ》があるかどうかはおろか、自分《じぶん》に心《こころ》があるかどうかすら、しっかりと保証《ほしょう》することはできません。心《こころ》なんていうものは、まったくもって確実《かくじつ》なものではないのです。

ウキウキしちゃってもう……。
大声《おおごえ》で歌《うた》いだしたい気《き》もち。

心《こころ》は自分《じぶん》と世界《せかい》の接着剤《せっちゃくざい》

けれども、心《こころ》がない世界《せかい》よりも、心《こころ》がある世界《せかい》のほうが、はるかに鮮《あざ》やかです。心《こころ》があることによって、人々《ひとびと》や社会《しゃかい》は彩《いろど》り豊《ゆた》かに輝《かがや》きます。自分《じぶん》にも他人《たにん》にも優《やさ》しくなります。だから、「心《こころ》なんてない」と疑《うたが》うよりも、「心《こころ》はある」と考《かんが》えておいたほうが、よいことが多《おお》いのです。

そして、人の脳はさらにすごいアクロバットをやってのけます。「人間以外のものにも心がある」と感《かん》じるのです。たとえば、飼《か》っている犬《いぬ》や猫《ねこ》にも「心《こころ》」があると考《かんが》えます。もちろん、ペット以外《いがい》の動物《どうぶつ》にも心《こころ》を感《かん》じます。

それだけではありません。巨大《きょだい》な木《き》を見《み》ると、神々《こうごう》しさや魂《たましい》を感《かん》じて、しめ縄《なわ》を巻《ま》きます。太陽《たいよう》や石《いし》や滝《たき》、道《みち》ばたの雑草《ざっそう》にも心《こころ》があるように感《かん》じます。

さらに、こんな実験《じっけん》もあります。他人《たにん》が皮膚《ひふ》を針《はり》で刺《さ》されているシーンを見《み》たときの脳《のう》の反応《はんのう》を調《しら》べた実験《じっけん》です。そんな場面《ばめん》を見《み》れば、「うわ、痛《いた》そう」と共感《きょうかん》しますよね。そのとき、脳《のう》の「帯状皮質《たいじょうひしつ》」という場所《ばしょ》が活動《かつどう》します。帯状皮質《たいじょうひしつ》は他人《たにん》の「心《こころ》」を推《お》しはかって、共感《きょうかん》するための脳回路《のうかいろ》です。この帯状皮質《たいじょうひしつ》は、おもしろいことに、他人《たにん》だけでなく、物《もの》を捨《す》てるときにも活性化《かっせいか》します。「捨《す》てられてかわいそう」「私《わたし》を捨《す》てないでと泣《な》いている」――。物《もの》にも感情《かんじょう》があって、心《こころ》が宿《やど》っていると考《かんが》えているのです。これは物《もの》を大切《たいせつ》にする姿勢《しせい》のもとになります。

もうわかりましたね。「心《こころ》」とは何《なん》でしょう。心《こころ》は脳《のう》の中《なか》にあるのではありません。心臓《しんぞう》をはじめとして、体《からだ》のすみずみに宿《やど》っています。そして、心《こころ》は自分《じぶん》の内側《うちがわ》だけでなく、他人《たにん》や、動物《どうぶつ》や、植物《しょくぶつ》や、物《もの》にまで投影《とうえい》されます。つまり、世界中《せかいじゅう》のすべてが心《こころ》によってつながっています。心《こころ》は私《わたし》と世界《せかい》の接着剤《せっちゃくざい》なのです。

池谷裕二《いけがやゆうじ》

1970年生《ねんう》まれ。1998年《ねん》、東京大学大学院薬学系研究科《とうきょうだいがくだいがくいんやくがくけいけんきゅうか》にて薬学博士号取得《やくがくはくしごうしゅとく》。2002~2005年《ねん》、米《べい》・コロンビア大学《だいがく》への留学《りゅうがく》を経《へ》て、2014年《ねん》より東京大学薬学部教授《とうきょうだいがくやくがくぶきょうじゅ》。専門分野《せんもんぶんや》は神経生理学《しんけいせいりがく》で、脳《のう》の健康《けんこう》について探究《たんきゅう》している。文部科学大臣表彰若手科学者賞《もんぶかがくだいじんひょうしょうわかてかがくしゃしょう》(2008年《ねん》)、日本学術振興会賞《にほんがくじゅつしんこうかいしょう》(2013年《ねん》)、日本学士院学術奨励賞《にほんがくしいんがくじゅつしょうれいしょう》(2013年《ねん》)などを受賞《じゅしょう》。著書《ちょしょ》に『脳《のう》と心《こころ》のしくみ』(監修《かんしゅう》・新星出版社《しんせいしゅっぱんしゃ》)、『海馬《かいば》』(新潮社《しんちょうしゃ》)、『進化《しんか》しすぎた脳《のう》』(講談社《こうだんしゃ》)などがある。

ビッグ・コロタン⑳⓪

ドラえもん探究《たんきゅう》ワールド 心《こころ》の不思議《ふしぎ》

STAFF

●まんが　藤子・F・不二雄
●監修　藤子プロ
池谷裕二（東京大学薬学部教授）

●構成・文　浅海里奈・葛原武史（カラビナ）
●デザイン　東光美術印刷
●装丁　有泉勝一（タイムマシン）
●イラスト　ひきの真二
●協力　目黒広志
●校正　麦秋アートセンター
●制作　酒井かをり
●資材　木戸 礼
●宣伝　阿部慶輔
●販売　藤河秀雄
●編集　武藤心平

参考文献
『脳と心のしくみ』（池谷裕二監修／新星出版社）『脳のすべてがわかる本』（岩田誠監修／ナツメ社）『脳はなにかと言い訳する』（池谷裕二著／祥伝社）『できない脳ほど自信過剰』（池谷裕二著／朝日新聞出版）『脳には妙なクセがある』（池谷裕二著／新潮社）『脳は嘘をつく、心は嘘がつけない』（高田明和著／春秋社）『こころキャラ図鑑』（池谷裕二監修／西東社）『海馬』（池谷裕二・糸井重里著／新潮社）『受験脳の作り方』（池谷裕二著／新潮社）『決定版 面白いほどよくわかる！ 心理学』（渋谷昌三著／西東社）『図解 心理学用語大全』（齊藤勇監修・田中正人著／誠文堂新光社）『勉強脳のつくり方』（池谷裕二監修／日本図書センター）『脳はすこぶる快楽主義』（池谷裕二著／朝日新聞出版）『脳はなにげに不公平』（池谷裕二著／朝日新聞出版）　沖縄科学技術大学院大学ホームページ　ブレインロボットインタフェース研究室ホームページ　大阪大学ホームページ　産業技術総合研究所ホームページ　北岡明佳の錯視のページ

2021年11月15日　初版第１刷発行　　2023年４月９日　初版第４刷発行

●発行人　青山明子
●発行所　株式会社　小学館
〒101-8001　東京都千代田区一ツ橋2-3-1
編集●03-3230-5685　販売●03-5281-3555
●印刷所　凸版印刷株式会社
●製本所　株式会社　若林製本工場
Printed in Japan

ISBN978-4-09-259200-1